IONTAIS AN
tSEANSAOIL

TIM WOOD

Seán Ó Cadhain
a d'aistrigh

AN GÚM
Baile Átha Cliath

Buíochas agus Admhálacha

Gabhann na foilsitheoirí buíochas le Bill Donohoe agus le Jonathan Adams a mhaisigh na radhairc thrédhearcacha, le James Field a mhaisigh an clúdach agus leis na daoine agus na forais a thug cead dúinn na pictiúir seo a leanas a úsáid:

Bailiúchán na Seanealaíne & na Seanailtireachta: 11 thíos ar dheis, 15 thíos ar dheis, 26 thuas ar dheis, 33 thíos ar dheis, 38 sa lár ar clé, 45 thíos ae dheis.

Bruce Coleman Tta: /Herbert Kranawetter 33 thuas ar dheis.

C. M. Dixon: 4, thuas ar clé, 6 thuas ar clé, 7 thuas ar dheis, 10 thuas ar clé, 16 thuas ar clé, 19 thuas ar clé, 26 thuas ar clé, 27 thuas ar dheis, 28 thuas ar clé, 31 thuas ar dheis, 41 thíos ar dheis.

Corbis: 7 thíos ar dheis. **Cartlann e.t.:** 22 thuas ar clé.

Louvre - Photo: Giradon, Páras: 18 thuas ar clé, 29 thuas ar dheis.

Bailiúchán Mansell: 15 i lár baill, 19 thuas ar dheis.

Peter Clayton: 20 thuas ar clé, 21 thuas ar clé.

Pictiúir Planet Earth: 5 thíos ar dheis, 39 thíos ar dheis.

Magnum:/F. Mayer 24 i lár baill,/Cornel Capa 34 thuas ar dheis,/Harry Gruyaert 36 thuas ar dheis,/B. Barbey 43 thíos ar dheis.

Leabharlann Grianghraf Robert Estall: 12 thuas ar dheis.

Leabharlann Pictiúr Robert Harding: /Rolf Richardson 25 i lár baill, 42 thuas ar dheis.

Sonia Halliday: 22 thuas ar dheis. **Superstock:** 35 thuas ar dheis.

Íomhánna Tony Stone: / Tom Till 37 thuas.

Cartlann Werner Forman:/ Músaem Stáit Ohio 35 thíos ar clé, Músaem Indiaigh Mheiriceá, Foras Heye, Nua-Eabhrac 35 thíos ar dheis, 42 thuas ar clé, 44 thuas ar dheis.

ZEFA:/K. Kerth 30 thuas ar clé, 32 thuas ar clé.

Maisitheoirí
Jonathan Adams: siombailí, 15, 28 i lár baill, 44-45. **James Field (Simon Girling):** an clúdach.
Terry Gabbey: (Cumann na Saoririseoirí): 10-11, 12-13, 20, 30, 31, 36, 38, 39, **Richard Hook:** 46-47. **Bill Le Fever:** 18-19, 22-23, 32-33, 42. **Kevin Madison:** 5, 37 **Angus McBride (Ealaíontóirí Linden):** Lch an teidil, 4, 6, 7, 14, 26, 27, 28-29, 34, 43.

Eagarthóir: Alyson Jones
Dearthóir: Nick Avery
Taighdeoir Pictiúr: Gill Metcalfe
Stiúrthóir Táirgeachta: Lorraine Stebbing

Teidil eile in aon sraith leis seo:
Na Ceiltigh, Na Lochlannaigh, An Renaissance, An Mheánaois, An tSean-Róimh, An tSean-Ghréig, An tSean-Éigipt, An tSean-Sín.

ISBN 1-85791-266-7

Arna fhoilsiú ag an nGúm i gcomhar le hOifig an tSoláthair.

Computertype Tta a rinne an scannánchló in Éirinn
Arna chlóbhualadh san Iodáil

Le ceannach ó Oifig Dhíolta Foilseachán Rialtais,
Sráid Theach Laighean, Baile Átha Clíath 2, nó ó
dhíoltóirí leabhar.
Nó tríd an bpost ó:
Rannóg na bhFoilseachán, Oifig an tSoláthair,
4-5 Bóthar Fhearchair, Baile Átha Cliath 2.

An Gúm, 44 Sráid Uí Chonaill Uacht., Baile Átha Cliath 1

AN CLÁR

IONTAIS AN tSEANSAOIL

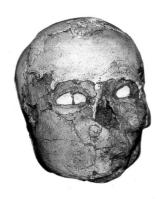

Fuarthas an bhlaosc seo in Iarachó. Maisíodh le cré agus le sliogáin í chun ceannaithe an mharbháin a léiriú.

Is dócha gurbh é Iarachó an chathair ba shine ar domhan a raibh balla thart uirthi. Bhí a cuid saibhris bunaithe ar an trádáil agus ba chun í sin a chosaint a tógadh na ballaí. Brící cré a dhéantaí de láimh agus a thriomaítí faoin ngrian a d'úsáididís.

Dhá mhíle bliain ó shin bhíodh turasóirí ón Róimh agus ón nGréig ag dul ar cuairt chuig láithreacha móra tábhachtacha an Domhain, go díreach mar a dhéanann turasóirí an lae inniu. Seacht nIontais an Domhain a thug scríbhneoirí na haimsire sin ar an gcuid ba shuntasaí díobh sin. Ní hionann an liosta a bhí acu siúd agus an liosta seo againne mar go raibh cuid de na hiontais scriosta faoin am sin agus cuid eile gan a bheith tógtha go fóill. Ar ndóigh, scriosadh cuid mhaith le himeacht aimsire ach chuidigh staraithe agus seandálaithe linn athchruthú a dhéanamh orthu.

NA LÁITHREACHA LONNAÍOCHTA TOSAIGH

Fiagaithe fáin ba ea na chéad daoine. Ní go dtí go ndeachaigh daoine le feirmeoireacht a chuir siad fúthu in áit áirithe. As sin amach b'éigean dóibh fanacht in áit amháin chun a gcuid talún a shaothrú agus a gcuid barr a chosaint. Thuig siad freisin nach neart go cur le chéile agus gur ar scáth a chéile a mhaireann na daoine.

Ceann de na chéad iontais mhóra ar domhan ná cathair Iarachó (8000 R.Ch.) gona ballaí móra cosanta. Ar shalann a dhíol a bhí saibhreas na cathrach sin bunaithe agus thóg muintir na cathrach na ballaí chun iad féin agus a gcuid saibhris a chosaint. Ba iad sin na chéad bhallaí dá leithéid a tógadh.

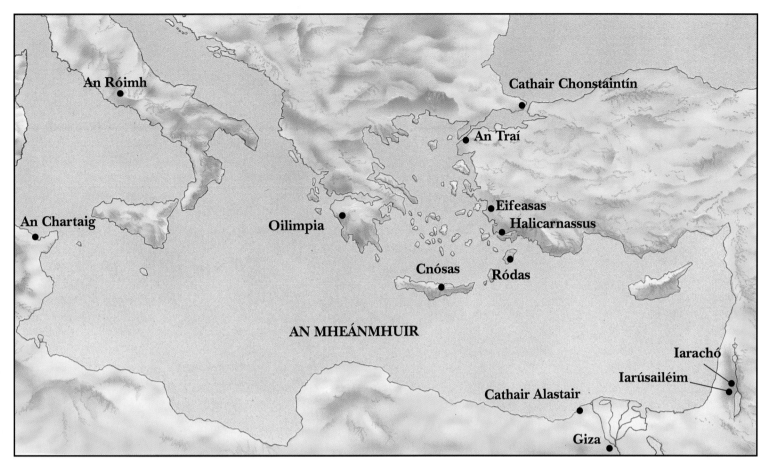

Ba iad na hÉigiptigh, na Gréagaigh agus na Rómhánaigh a rinne formhór na n-iontas a bhí ann sa seansaol. Tá suímh na n-iontas sin léirithe ar an léarscáil mhór. Tá na hiontais eile ar fud an domhain léirithe ar an léarscáil bheag.

CÉN FÁTH?

Na ríthe a chuireadh na leachtanna cuimhneacháin agus na foirgnimh mhóra á dtógáil agus a d'íocadh astu. Mar léiriú ar a gcumhacht, chun iontas a chur ar na daoine a bhí fúthu agus chun faitíos a chur ar a naimhde a thógtaí iad. I gcás na sagart theastaíodh teampaill mhóra uathu siúd mar léiriú gur fhlaithiúla agus gur chumhachtaí a gcuid déithe féin ná déithe cathracha eile. Dhéanadh na daoine an obair mar ómós do na déithe ar a raibh siad ag brath.

AN TURASÓIREACHT FADÓ

Thug na leachtanna, na teampaill agus na páláis mhóra seans do na ceardaithe a gcumas maisithe a léiriú. Chuir na dealbhóirí eolas ar an gcaoi le dealbha ar thomhas nádúrtha a dhéanamh agus le dathú a dhéanamh ar bhrící agus ar thíleanna. Ba ghearr gur thosaigh daoine ag taisteal chun iontais an Domhain a fheiceáil.

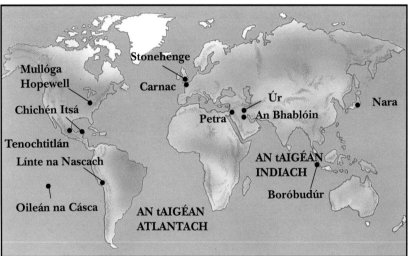

Meall salainn sa Mhuir Mharbh. Bhain an-tábhacht le salann sa seansaol mar gur leis a leasaítí feoil. Is amhlaidh a bhailíodh muintir Iarachó salann as an Muir Mharbh agus dhíolaidís é le pobail eile. D'éirigh Iarachó saibhir dá bharr sin.

5

Fuarthas an clogad óir seo ar dócha gurbh le rí é in éineacht le miodóg óir i gcathair Úr. Tá cruth cloiginn duine air agus an ghruaig ina cocán taobh thiar.

Tuairim na bliana 2100 R.Ch. a tógadh an siogúrat in Úr na Measpatáime. As brící cré ar fad a dhéantaí na siogúrait agus cuma pirimide leacaithe a bhíodh orthu. Tógadh siogúrait i bhformhór chathracha na Measpatáime (an Iaráic inniu). Bhíodh teampall nó scrín ar a mullach, áit a n-adhradh na sagairt déithe na cathrach.

IDIR NA hAIBHNEACHA

Is é an chiall atá leis an bhfocal `Measpatáim' ná an `Tír idir na hAibhneacha.' Is amhlaidh a chruthaigh an dá abhainn, an Tígris agus an Eofrait, machaire méith eatarthu. Rinne na lonnaitheoirí tosaigh córas díog agus canálacha chun an talamh a uisciú le haghaidh na talmhaíochta. De réir a chéile thóg muintir na Measpatáime cathracha eile feadh bhruacha na n-aibhneacha. Bhíodh rí dá gcuid féin (agus déithe) ag na cathracha sin.

DÉITHE NA MEASPATÁIME

D'adhradh muintir na Measpatáime déithe a bhain leis an Dúlra, e.g. **An** – dia na spéire a thugadh an bháisteach chucu, agus **Einlil** – dia na gaoithe.

Bhíodh clós ollmhór ina mbíodh siogúrat agus teampall (nó scrín) ar a mhullach i ngach cathair. Is sa chlós sin a thugtaí ómós do na déithe.

Na sagairt ag réiteach béile do na déithe taobh le siogúrat Úr. Bhí na siogúrait ba mhó tuairim 46 méadar ar airde agus bhí 91 méadar i sleasa na mbonn cearnógach. Sclábhaithe a rinne na siogúrait sa Mheaspatáim.

Ar dtús tharraingíodh scríobhaithe na Measpatáime pictiúir le maide biorach ar chré fhliuch. Le himeacht aimsire tháinig scríbhneoireacht de chineál áirithe chun cinn, bunaithe ar chóras marcanna dingchruthacha a dhéantaí ar chré.

Bhíodh rí ar gach cathair sa Mheaspatáim. Bhídís ag troid eatarthu féin go minic. Uisce agus éadáil ba mhó a bhíodh ina gcnámh spairne. Choinníodh na scríobhaithe cuntas ar an saibhreas le marcanna dingchruthacha ar tháibléid chré. Is de bharr obair den chineál sin a tháinig an scríbhneoireacht chun cinn.

SIOGÚRAIT

In Eireadú tuairim na bliana 5000 R.Ch. is ea a tógadh an chéad siogúrat. Bhíodh na siogúrait soladach agus gan aon seomraí istigh iontu. Ní fios cén fáth a mbíodh a leithéid de chuma orthu ach is cosúil gur altóirí nó staighrí chun na ndéithe a bhí iontu, dar leis na daoine. Sclábhaithe a thóg iad. Bhí na cinn ba mhó 45 méadar ar airde.

CÚRAM Á DHÉANAMH DE NA DÉITHE

Is é a theastaíodh ó na sagairt go leanfadh na déithe orthu ag maireachtáil ina measc. Chuige sin spreagaidís muintir na cathrach chun guí chucu agus chun bia a thabhairt chucu. Tá a fhios againn i gcás cathair Úrúc go dtugtaí 250 builín, breis is 1000 cáca dátaí, 50 caora, 8 gcinn d'uain, dhá dhamh agus lao chucu go laethúil!

Bhíodh talamh ag na déithe freisin ach ba iad na sagairt a riaradh dóibh í. Bhailíodh na sagairt cáin ar son na ndéithe agus choinnídís cuntas ar an gcáin le scríobh dingchruthach. Tá na mílte táibléad cré den sórt sin ann fós.

BRÍCÍ CRÉ

Ó tharla gur bheag cloch a bhí sa Mheaspatáim, a bheadh feiliúnach le haghaidh tógála, ba as brící cré a dhéantaí na siogúrait. Meascán de chré, d'uisce agus de thuí ghearrtha a bhíodh sna brící. Chuirtí an meascán isteach i múnlaí adhmaid agus d'fhágtaí faoin ngrian é le cruachan, sin nó bhácáiltí in áitheanna é. Chuirtí biotúman (ábhar ar nós tarra) ar chuid acu chun go mbeidís uiscedhíonach. Tá na brící sin ina mbruscar anois agus níl fágtha d'fhoirgnimh mhóra na Measpatáime ach carnáin chré.

D'éirigh ríthe na Measpatáime an-saibhir trí chríocha nua a ghabháil. Bhíodh rudaí áille acu, e.g. an lir thall atá maisithe le cloigeann óir tairbh. Chuirtí a rogha féin earraí luachmhara i dteannta ríthe agus banríonacha na Measpatáime, e.g. thángthas ar earraí áille airgid, óir agus cré-umha i dtuamaí na ríteaghlach in Úr.

TUAMAÍ RÍTHE NA hÉIGIPTE

Léiríonn an radharc trédhearcach seo an Phirimid Mhór in Giza á tógáil. Tá na daoine sa phictiúr ag bogadh bloc cloiche suas feadh fánáin le rópaí agus le rollóirí adhmaid. Má chasann tú an leathanach feicfidh tú go bhfuil an phirimid beagnach críochnaithe. Tá na daoine ag cur leac aolchloiche líofa ar dhromchla na pirimide. Taobh thiar tá daoine eile ag cothromú na talún le haghaidh pirimide do dhuine de mhná an Fharó. Is amhlaidh a líontar claiseanna d'uisce agus cothromaítear an talamh go leibhéal an uisce.

Is é tuama an Fharó Céaps in Giza (an Phirimid Mhór) an tuama is iomráití de chuid ríthe na hÉigipte. Tosaíodh á thógáil tuairim na bliana 2550 R.Ch. agus chaith na mílte oibrí 20 bliain leis.

AN PHIRIMID MHÓR

Chosain sé 1600 tallann airgid an Phirimid Mhór a thógáil – breis is £5 mhilliún de réir airgead an lae inniu. Tá 2,300,000 bloc aolchloiche buí inti agus meáchan 2.5 tona i ngach ceann acu. Bhí sí 146.6 méadar ar airde tráth agus ba í an foirgneamh ab airde ar domhan í go dtí an 19ú céad.

NA BLOIC Á nGEARRADH

As cairéil ar an taobh thall den Níl a tháinig na bloic chloiche. Is é an chaoi a gcuirtí dingeacha adhmaid isteach i ngága sna carraigeacha agus go ndéantaí iad a fhliuchadh. Nuair a d'atfadh na dingeacha scoiltfeadh na carraigeacha. Tá rian na hoibre sin le feiceáil sna seanchairéil fós.

Le siséil chopair agus le casúir chloiche a líomhtaí na bloic. I mbáid a thugtaí na bloic go bruach thall na Níle agus as sin tharraingítí feadh cabhsa iad ar rollóirí adhmaid nó ar charranna sleamhnáin go láthair na pirimide.

1 Tuama an Fharó.
2 Aerphasáistí a aerálann an tuama.
3 Clocha chun an bealach isteach go dtí an tuama a dhúnadh
4 Tuamaí nár críochnaíodh
5 Bealaí amach ag oibrithe
6 Leaca aolchloiche ar an dromchla

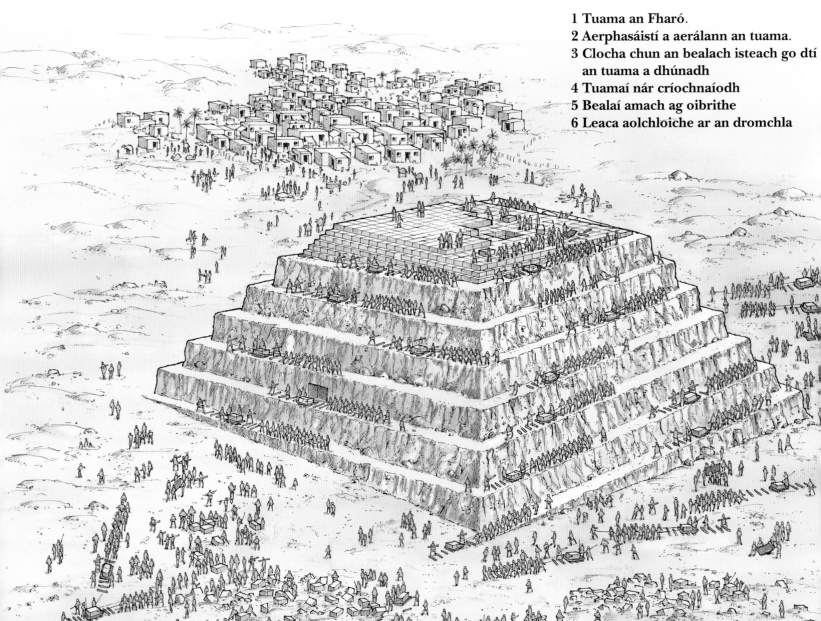

NA BLOIC Á nIOMPAR

Ceapann roinnt seandálaithe gur suas feadh fánán mór a tharraingítí na bloic. Cúpla fánán nó fánán leanúnach amháin a bhíodh i gceist fearacht an chinn sa radharc trédhearcach (ar clé). Ar ndóigh bhíodh a thrí oiread ábhair ag teastáil le haghaidh na bhfánán úd is a bhíodh ag teastáil le haghaidh na pirimide féin. Ní fios dúinn cad a dhéantaí leis an ábhar sin nuair a bhíodh an phirimid críochnaithe.

PIRIMID LONRACH

Nuair a bhí Pirimid Giza tógtha clúdaíodh í le leaca líofa bána aolchloiche ionas gur lonraigh sí faoi ghlésholas na gréine. Sa deireadh cuireadh caidhp óir ar a mullach.

DEIR EL BAHRI

Tá tuama an Fharó Meantúhóitpé I in Deir el Bahri léirithe thíos sa radharc trédhearcach. Foirgneamh amháin atá ann ina bhfuil teampall marbhlainne agus pirimid agus an t-iomlán snoite as éadan aille. Cuireadh críoch leis an obair in 2010 R.Ch., i.e. 500 bliain tar éis do na hÉigiptigh an phirimid dheireanach a thógáil in Giza. Bhí cabhsa Theampall Mheantúhóitpé 46 méadar ar leithead. Bhí fánán leathan suas go dtí an teampall freisin. Bhí léibhinn mhóra thart ar an bpirimid agus taca colún fúthu. Bhí 140 colún faoin léibheann ba mhó. I seomra in éadan na haille nach raibh teacht air ach trí thollán a bhí corp an Fharó.

Breis is 500 bliain tar éis gur tógadh an phirimid dheireanach in Giza rinneadh an tuama ríoga atá ar an leathanach seo in Deir el Bahri. Ba le haghaidh an Fharó Meantúhóitpé I é. Cuireadh crainn os comhair an tuama. Bhí cabhsa agus fánán leathan isteach chuige. Má chastar an leathanach trédhearcach beidh an taobh istigh den teampall le feiceáil, i.e. an phirimid i lár báire agus an tuama a snoíodh as an aill. Bhí pasáiste 150 méadar ar fad faoi thalamh chuig an tuama sin.

7 An phirimid i lár báire
8 Bonn carraigeacha chun an fhána a chothromú
9 Fánán
10 Pasáistí agus colúin
11 Pasáiste faoi thalamh
12 Tuama an Fharó

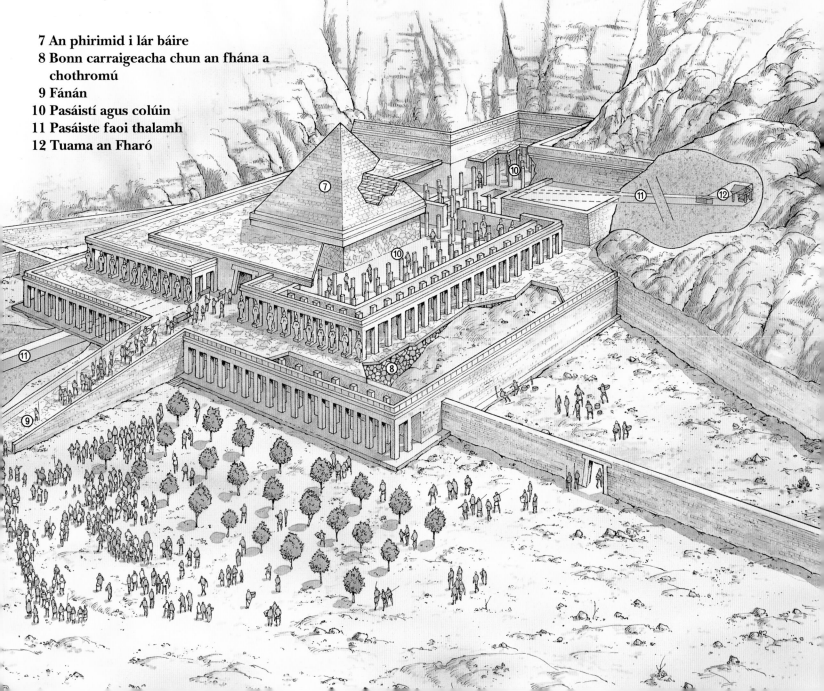

Siogairlín óir as tuama Thútancámain. Ainneoin go mbíodh gardaí ag cosaint na dtuamaí ríoga dhéanadh na gadaithe slad orthu.

Ba é tuairim na staraithe fadó, e.g. Heireadótas, gur sclábhaithe a thóg na pirimidí. Ach dáiríre, ba dá ndeoin féin a rinne na daoine an obair. Nuair a sceitheadh an Níl gach bliain ba bheag eile a bhíodh le déanamh ag na feirmeoirí. Is amhlaidh a théidís ag obair ar na pirimidí i leaba cáin a íoc. Ó tharla gur chreid na hÉigiptigh gur dia ba ea an Faró, ba chuid dá n-adhradh na pirimidí a thógáil.

Dar leis na hÉigiptigh ba dhia é an Faró agus mar sin, bhíodh an t-adhlacadh mórthaibhseach glórmhar dá réir. Chumhraítí an corp lena chaomhnú agus thionlacadh an pobal an chónra go dtí an bád a d'iompraíodh an corp feadh na Níle naofa.

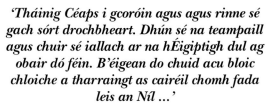

'Tháinig Céaps i gcoróin agus agus rinne sé gach sórt drochbheart. Dhún sé na teampaill agus chuir sé iallach ar na hÉigiptigh dul ag obair dó féin. B'éigean do chuid acu bloic chloiche a tharraingt as cairéil chomh fada leis an Níl …'

— *Heireadótas* —

TUAMAÍ AN RÍTHEAGHLAIGH

Tógadh teampaill thart ar bhun na bpirimidí agus bhíodh deasghnátha ag na sagairt iontu maidir leis na Farónna a bhí marbh. Maidir le láthair Phirimid Giza (féach lgh 46-47) tógadh teampaill agus pirimidí beaga chun mairbh an rítheaghlaigh a chur iontu. Bhí cabhsaí idir marbhlanna na dteampall sin agus an Níl chun gurbh fhusa don tsochraid gabháil an bealach ón abhainn go dtí an teampall.

Ar dtús dhéantaí na pasáistí agus na tuamaí a bhíodh faoi na pirimidí. Mhaisítí na ballaí le snoíodóireacht agus le pictiúir agus an solas fós ag scaladh isteach. Chuirtí críoch ar an obair faoi sholas tóirsí nuair a bhíodh an díon déanta.

SOCHRAID AN FHARÓ

Chreid na hÉigiptigh gur bhealach go dtí an saol eile iad na pirimidí. Mar sin, chuirtí cuid dá chuid saibhris in éineacht leis an bhFaró, rud, ar ndóigh, a mhealladh gadaithe. Faoi dheireadh d'éirigh na hÉigiptigh as a bheith ag tógáil pirimidí agus as sin amach chuir siad na Farónna i nGleann na Ríthe. B'fhusa, dar leo, an áit úd a chosaint.

AN SFIONCS MÓR

Tá ceann d'iontais mhóra na hÉigipte in aice leis na pirimidí in Giza - an **Sfioncs Mór**. Cuma leoin agus cloigeann fir air atá sa Sfioncs – cloigeann an Fharó Ceafran b'fhéidir. Tá sé 73 méadar ar fad agus é 20 méadar ar airde. As aolchloch a snoíodh é. Bhí sé clúdaithe le clocha snoite nó le gaineamh ag amanna éagsúla. Ní fios do dhuine ar bith cad chuige a ndearnadh é. B'fhéidir gurbh é cosantóir na bpirimidí é.

Tá cónra Thútancámain sa phictiúr ar dheis – an t-aon Fharó i nGleann na Ríthe nach ndearnadh slad ar a thuama.

Léiríonn an taobhchló (thíos) an gréasán pasáistí agus tuamaí taobh istigh de na trí phirimid in Giza. Léirítear freisin na pasáistí agus na tuamaí atá faoi na pirimidí sin.

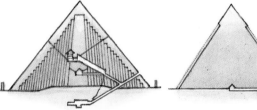
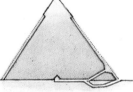

Pirimid Mhór Chéaps   **Pirimid Cheafran**   **Pirimid Mheancabhra**

Aghaidh soir-siar tríd is tríd atá ar na sraitheanna gallán in Carnac. An amhlaidh gur reilig a bhí ann nó córas de chuid na Clochaoise chun suíomh na Gréine agus na réaltaí a rianú agus a ríomh? Ní dócha go mbeidh a fhios againn go deo.

Feirmeoirí a lonnaigh san Eoraip 6000 bliain ó shin a thóg na leachtanna meigiliteacha. Tuamaí ba ea na cinn ba luaithe. Ní fios cén fheidhm a bhíodh leis na cinn a tógadh tar éis na bliana 3200 R.Ch.

MEIGILITÍ NA CLOCHAOISE

Meigilití a thugtar ar leachtanna na Luath-Chlochaoise (meigilit = cloch mhór). Galláin (cloch mhór amháin, nó liag, ina seasamh) iad cuid de na leachtanna agus dolmainí, (liag amháin in airde ar thrí cinn nó breis) cuid eile.

RAONTA CHARNAC

Tá 3000 gallán agus dolmain sa Bhriotáin gar do bhaile beag Charnac. Tá cuid de na galláin 6 mhéadar ar airde. Tá siad eagraithe ina raonta fada, e.g. tá 13 shraith i raonta áirithe agus na raonta féin 100 méadar ar leithead. 4 chiliméadar an fad atá sna raonta. Tá altóirí cloiche, ciorcail liag agus tuamaí meigiliteacha ann freisin.

TUAIRIM AMHÁIN

Tosaíodh ar leacht Charnac a thógáil tuairim na bliana 3000 R.Ch. agus caitheadh 1000 bliain leis ina shealanna. Ní fios dúinn cé a thóg é ná cad chuige. B'fhéidir, dar le seandálaithe áirithe, gurb ionann gach cloch agus sinsear de chuid na treibhe, nó go mb'fhéidir gur le gluaiseacht na Gréine agus na réaltaí a thomhas a bhí na clocha ann.

STONEHENGE

Is 'heinsí' (i.e. liosanna ciorclacha a bhfuil díoga thart orthu) iad cuid de na leachtanna. Tá breis is 1000 ciorcal liag agus 80 heinse sa Bhreatain. Is é Stonehenge an láthair is mó acu. Ba ionad creidimh é ón mbliain 3300 R.Ch. amach.

Maidir leis an dream tosaigh a chuaigh i mbun Stonehenge a thógáil rinne siad díog agus claí ciorclach thart ar an láthair. Tá fáinne 56 pholl taobh istigh den díog ar a dtugtar 'Poill Aubrey' as an té a d'aimsigh iad sa 17ú céad. Chuirtí coirp chréamtha sna poill sin – coirp íobartha b'fhéidir. Tá gallán ollmhór sa bhealach isteach go Stonehenge ar a dtugtar '*The Heelstone* (an tSáil-liag).'

Is é is dóichí gur le rópaí agus le rollóirí a bogadh na galláin in Stonehenge. B'fhéidir gur mar a léirítear thíos a cuireadh ina seasamh iad.

AN CIORCAL LIAG

Rinne an tAos Eascra cosán isteach go Stonehenge tuairim na bliana 2800 R.Ch. agus cuireadh sraith dhúbailte de ghalláin ghorma taobh istigh den chéad fháinne. Ba i Sléibhte Preseli in Iardheisceart na Breataine Bige, breis is 217 ciliméadar ó láthair, a fuarthas ábhar na ngallán. Caithfidh sé gur tarraingíodh cuid den bhealach iad feadh na talún agus ansin gurb é an chaoi ar iompraíodh ar raftaí iad anonn thar Chaol Bhriostó. Chaith na mílte daoine dua leis an obair sin! Tuairim na bliana 2000 R.Ch. rinneadh fáinne eile fós ina raibh 30 liag sheasta. Taobh istigh arís den fháinne sin tógadh cúig 'tríliotón' den chloch sairsín i riocht crú capaill.

FÉILIRE MÓR

Caithfidh sé gurbh áit thábhachtach é Stonehenge i ngeall ar a mhéad is atá sé agus a chúramaí a leagadh amach é. Má bhreathnaítear ón bhfáinne dúbailte síos feadh an chosáin bíonn éirí na Gréine ag grianstad an tsamhraidh le feiceáil. B'fhéidir mar sin, go raibh baint aige le hadhradh na Gréine. Creideann seandálaithe áirithe gurbh éard a bhí ann ná bealach le suíomh na Gréine agus na réaltaí a thuar. Tá oiread sin oibre déanta ar an láthair faoin am seo nach mbeidh a fhios againn choíche cad chuige ar tógadh é.

B'fhéidir gurbh é an aidhm a bhí le cuid de na leachtanna meigiliteacha suíomh na Gréine agus na réaltaí a rianú. Ba ghá na séasúir a thuar ar mhaithe leis an talmhaíocht.

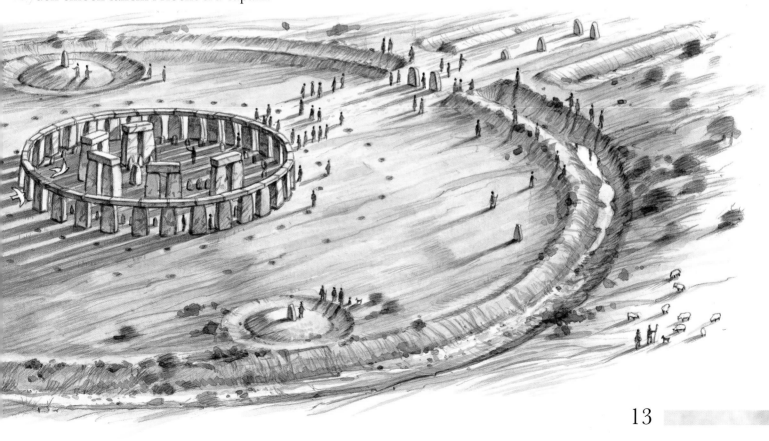

CATHAIR NA TRAÍ

Scéal faoi bhanríon a fuadaíodh, faoi chomhrac idir laochra móra agus idir na déithe féin is ea scéal na Traí san Íliad. Shíl na scoláirí ar feadh na gcéadta blianta nach raibh ann ach scéal ag Hómar ach chaith fear amháin, Heinrich Schliemann, a shaol ag iarraidh a chruthú gurbh fhíor é an seanscéal.

SCÉAL NA TRAÍ

Rinne Hómar, file Gréagach a bhí ann breis is 3000 bliain ó shin, cur síos ar chathair agus ar scéal na Traí sa dán fada úd an Íliad. Déantar cur síos sa dán ar an gcaoi ar fhuadaigh Páras, prionsa na Traí, an bhanríon Héilin.

Ní fios an raibh Capall Adhmaid na Traí ann riamh ná cén chuma a bhí air. De réir an tseanchais is cosúil go raibh sé millteanach mór mar gurbh éigean cuid de gheata na Traí a leagan chun é a thabhairt isteach sa chathair.

'Naoi mbliana, mar sin, a chaithfimid troid os comhair na Traí. An deichiú bliain is linne a sráideanna fairsinge ... A shaighdiúirí agus a chomhthíreacha, seasaigí an fód go ngabhfaimid baile fairsing Phriam.'

— *Hómar: an Íliad* —

Chuir Meinealás, fear céile Héilin, agus a dheartháir an rí Agaimeimneon arm le chéile chun an Traí a ionsaí agus Héilin a tharrtháil. Mhair an cogadh ar feadh deich mbliana. Tá cur síos sa dán ar éachtaí Eachtair agus Aichill. Faoi dheireadh chuimhnigh Odaiséas, rí Iteaca, ar sheift a bhuailfeadh bob ar mhuintir na Traí agus a ligfeadh do na Gréagaigh an Traí a ghabháil.

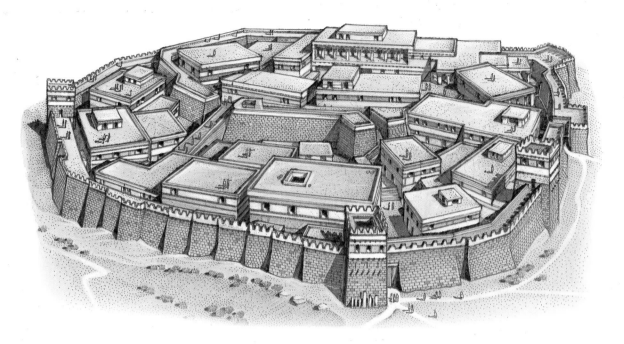

Is cosúil nach raibh sa Traí ach chathair bheag – í 137 méadar faoi 182 méadar. Mar sin, ní raibh áit inti ach do chúpla dosaen teach le haghaidh 1000 duine! B'fhéidir gurbh iad na ceannairí amháin a chónaíodh laistigh de na ballaí agus gur lasmuigh in árais adhmaid a chónaíodh an gnáthphobal.

CAPALL ADHMAID NA TRAÍ

Rinne na Gréagaigh capall mór adhmaid agus chuaigh saighdiúirí isteach i bhfolach ann. D'fhág na Gréagaigh os comhair na Traí é. D'imigh siad féin leo ansin amhail is dá mbeidís buailte. Thug muintir na Traí an capall isteach ina gcathair féin mar chreach chogaidh. I gcaitheamh na hoíche agus muintir na Traí ag ceiliúradh an bhua d'éalaigh na saighdiúirí amach as an gcapall adhmaid agus d'oscail siad geataí na cathrach. Bhí arm na nGréagach tar éis éalú ar ais faoi choim na hoíche agus isteach leo agus scrios siad an Traí.

Frau Schliemann ag caitheamh mionn ríoga agus bráisléad brád as an Traí. Bhí Herr Schliemann chomh cinnte sin gurbh í Hisarlik a bhí láthair na Traí go mb'fhéidir gur chuir sé cuid den fhianaise as a riocht.

SCHLIEMANN

I bhfad i ndiaidh Chogadh na Traí nuair a bhí Hómar ag cumadh filíochta dúirt sé go raibh an Traí suite ar chnoc agus go raibh ballaí agus túir arda thart uirthi.

Sa bhliain 1870 dúirt roinnt seandálaithe gur chreid siad go raibh láthair na Traí aimsithe acu – tulach ollmhór sa Tuirc ar a dtugtar Hisarlik. Chinn fear gnó saibhir as an nGearmáin, Heinrich Schliemann, an teoiric a fhiosrú agus ainneoin nár sheandálaí proifisiúnta é rinne sé tochailt ar an láthair idir 1870-1890. Deir seandálaithe an lae inniu gur scrios Schliemann fianaise thábhachtach i dtaobh na Traí de thimpiste nó de bharr drochmhodhanna oibre.

SAIBHREAS NA TRAÍ

Naoi gcinn de chathracha agus iad os cionn a chéile a d'aimsigh Schliemann agus na seandálaithe a tháinig ina dhiaidhsean arís. Dóiteáin a scrios cuid acu agus bhí ceann amháin a raibh an chosúlacht air gur chrith talún a rinne an scrios. Mar sin, ní fios cé acu cathair ba ea an Traí ar chuir Hómar síos uirthi. Is cosúil gur thart ar 3000 R.Ch. a lonnaigh dream daoine i dtosach sa Traí. Ba dhún daingean í an Traí go dtí an bhliain 1100 R.Ch. agus ansin bhí sí ina cathair. Scriosadh ar fad faoi dheireadh í thart ar an mbliain 400 AD. D'aimsigh Schliemann ór agus eabhar in Hisarlik agus iad maisithe le seodra. Táthar in amhras gurbh é Schliemann féin a d'fhág ann iad mar go bhfuil siad chomh hálainn sin. Mar sin, níltear cinnte ar aimsigh sé stór óir rí Priam na Traí.

Vása Gréagach a léiríonn scéal as an Íliad. Is amhlaidh atá gráscar lámh idir na saighdiúirí. Ach an raibh cogadh mór riamh idir mhuintir na Traí agus na Gréagaigh? Tá fianaise saighead agus arm eile sna fothracha a thabharfadh le fios gur ionsaigh na Gréagaigh an Traí. Maidir leis an 'gcrith talún' a scrios an Traí b'fhéidir gur lucht léigir a rinne dochar do bhallaí na cathrach dáiríre.

15

AN PÁLÁS I gCNÓSAS

Fuarthas an dealbh seo de bhandia nathrach i gCnósas. Tá nathair aici i ngach lámh. B'fhéidir go n-adhrtaí í mar chuid de chreideamh sa Dúlra.

Ar oileán na Créite a tháinig an chéad sibhialtacht Eorpach chun cinn 4000 bliain ó shin. D'éirigh ríthe na Créite an-saibhir ón trádáil agus d'úsáid siad an saibhreas úd chun páláis ollmhóra a thógáil. Ba é an pálás i gCnósas an ceann ba mhó acu. Ba ann a chónaigh an rí Míonós agus de réir na scéalaíochta an Mionótár freisin. Bhí an Mionótár leath ina fhear agus leath ina tharbh agus bhí cónaí air i lár cathair ghríobháin in aice leis an bpálás.

1 Lúthchleasaithe ag léim thar tharbh sa chlós
2 Seomraí an rí
3 Halla na gcolún
4 Pictiúir ar na ballaí
5 Stórais
6 Ceardlanna
7 Leabharlann

PÁLÁIS NA CRÉITE

I gcaitheamh na Cré-Umhaoise Luaithe bhíodh longa na Créite ag iompar earraí idir an Afraic, an Áise agus an Eoraip. Ar ndóigh ba lárionad seachadta í an Chréit agus thóg na ríthe páláis mhóra inti chun na hearraí a thaisceadh iontu. Sholáthair na páláis sin bia agus earraí sóchais do mhuintir na Créite. Chónaíodh na ceardaithe iontu freisin – potairí, gaibhne miotal, lucht déanta gréithe cloiche agus criostail, agus lucht snoite cloch lómhar.

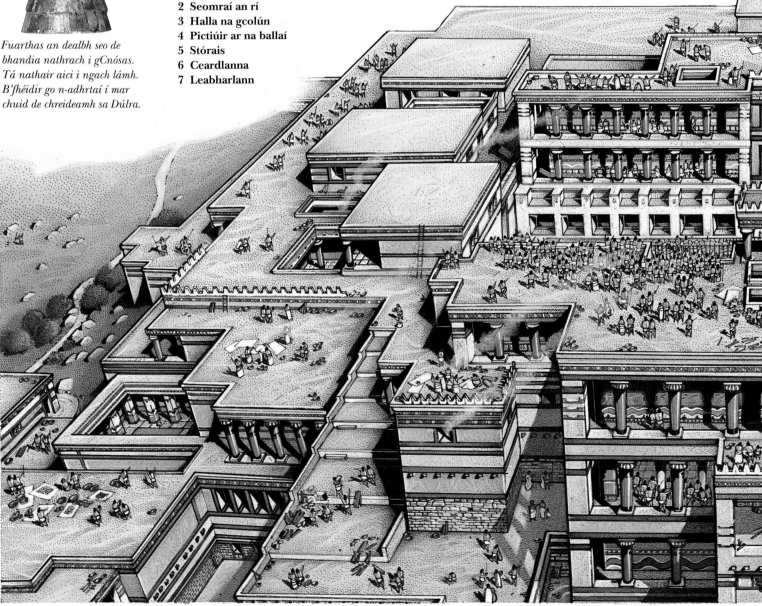

AN RÍ MÍONÓS

De réir an tseanchais ba é an rí Míonós a thóg an pálás ba mhó i gCnósas. Ba é siúd an rí ba mhó riamh ar an gCréit. Tharlódh sé, ar ndóigh, nach raibh i rí Míonós ach pearsa scéalaíochta nó gurb é sin an t-ainm a thugadh ríthe na Créite ar fad orthu féin.

AN PÁLÁS I gCNÓSAS

Bhíodh ballaí sheomraí an rítheaghlaigh maisithe le pictiúir. Stóras a bhí san urlár íochtair agus boscaí cloiche agus crúscaí móra cloiche (*pithoi*) ina gcuirtí arbhar, fíon agus ola ológ istigh ann. De réir na gcuntas ar tháibléid chloiche d'fhaigheadh 4000 duine soláthar bia as Pálás Chnósas.

ADHRADH AR THAIRBH

Bhíodh deasghnátha creidimh ar bun i bPálás Chnósas freisin. Seans go raibh an léim thar thairbh mar chuid de na deasghnátha seo. Déantar amach go mb'fhéidir go raibh cosúlacht áirithe idir adhradh na gCréiteach ar thairbh is adhradh na nGréagach ar Phoisíodón, dia na farraige. Dar leis na Gréagaigh ba tharbh é Poisíodón a mbaineadh a chrúba creathadh as an talamh. Bhíodh faitíos ar na Créitigh roimh dhia a bhainfeadh creathadh as an talamh mar go raibh crith talún ann sa Chréit, tuairim na bliana 1700 R.Ch. a rinne dochar do na páláis. Mar bharr ar an tubaiste bhrúcht bolcán ar Oileán Thera, atá 100 ciliméadar ó láthair, sa bhliain 1450 R.Ch. Bhí Pálás Chnósas faoi bhrat luaithrigh dá bharr agus bháigh tonn tuile go leor long de chuid na Créite. Chuir sin deireadh le cumhacht na Créite.

Nuair a bhí an Chréit i mbarr a réime bhí Pálás Chnósas cúig stór ar airde agus bhí 1300 seomra ann. Má chasann tú an leathanach feicfidh tú an taobh istigh. Bhí pictiúir ar na ballaí, e.g. de léim thar tharbh (féach barr lch 16 ar dheis). D'ádhradh muintir na Créite tairbh agus thugadh idir fhir is mhná léim lúfar thar thairbh sa chlós i bPálás Chnósas.

Tá an Bhablóin (ón bhfocal 'Bab-ili' a chiallaíonn 'Geata Dé' ann le 4500 bliain. Ní raibh inti ach cathair amháin sa Mheaspatáim i dtosach ach le himeacht ama bhí sí ina príomhchathair ar impireacht mhór. Gabhadh agus scriosadh í go minic ach tháinig sí chuici féin arís agus arís eile. Ba inti a bhíodh ceann d'iontais mhóra an tseansaoil – Gairdíní Léibheann na Bablóine.

GAIRDÍNÍ LÉIBHEANN

De réir an tseanchais ba é Nabúcadnazar II (a bhí ina rí ar an mBablóin idir 605-562 R.Ch.) a rinne na Gairdíní Léibheann in aice a pháláis féin dá bhean Amaití, iníon rí na Méideach, mar go raibh cumha uirthi i ndiaidh a tíre dúchais a bhí lán de shléibhte.

Síltear go raibh na Gairdíní Léibheann cosúil le siogúrat mór. Dhéanadh abhainn na hEofraite uisciú ar na léibhinn ar a mbíodh iliomad plandaí. Ní fios arbh ann do na Gairdíní riamh dáiríre ach is fíor go raibh scéimeanna uiscithe thart ar an mBablóin chun go bhfásfadh plandaí. B'fhéidir gur áibhéil seanchais an scéal ar fad ag daoine ar chuir na scéimeanna uiscithe iontas orthu.

IONTAIS EILE

Bhí an Bhablóin ar cheann de chathracha móra an Domhain san am sin. Bhí trí bhalla agus iad 27 méadar ar airde thart uirthi. As brící cré a rinneadh iad. Bhí biotúman á ndíonadh ar uisce. 18 gciliméadar an fad a bhí sna ballaí thart ar an gcathair. Bhí na ballaí maisithe le brící agus le tíleanna ildaite glónraithe. Bhí leithead dhá charbad sna ballaí. Geataí ollmhóra an bealach isteach a bhí iontu agus túir chearnógacha 30 méadar ar airde a bhíodh á gcosaint.

Tá cuid de na luath-dhlíthe a bhailigh an Rí Hamúráibí ar an táibléad cloiche seo. Bhí sé i gcoróin sa Bhablóin idir 1792-1750 R.Ch. Tá go leor de na dlíthe sin sa Sean-Tiomna freisin, e.g. `Tomhas a láimhe féin a thabhairt do dhuine.'

Feirmeoirí oilte ba ea na Bablónaigh agus bhí a fhios acu cén chaoi le talamh a léibheannú agus a uisciú. Bhí crainn agus plandaí eile ag fás sna Gairdíní Léibheann.

Maisíodh Geata Isteáir le 575 dragan agus tarbh óg a bhí déanta as brící glónraithe. Maisíodh cuid de na ballaí le leoin chruanta (féach barr lch 18 ar dheis).

'Tugadh Báibil uime sin ar an gcathair agus ar an túr a thóg na daoine daonna, mar go ndearna an Tiarna cíor thuathail de theanga an domhain go léir ansiúd; agus chuir an Tiarna fán orthu ón áit sin ar fud chlár na cruinne go léir.'

— *Geineasas II* —

TÚR BHÁIBIL

Roinn abhainn na hEofraite an chathair ina dhá cuid. Bhí an tseanchathair ar an mbruach thoir agus siogúrat seacht léibheann inti – Teampall Mhardúc. Ba é Mardúc an dia ba mhó ag na Bablónaigh. B'fhéidir gurb ar an teampall sin a thugann an Bíobla 'Túr Bháibil.'

Is mar mhíniú ar an iliomad teangacha a bheith ann a úsáideann an Bíobla Túr Bháibil. De réir Gheineasas ba le teann gaisce astu féin a rinne na Bablónaigh an

túr. Thug Dia iliomad teangacha do na hoibrithe chun nach dtuigfdidís a chéile agus ansin scaip sé iad ar fud an domhain mhóir. Níor cuireadh bailchríoch ar an túr riamh.

Pictiúr iomráiteach le Charles Sheldon de na Gairdíní Léibheann. Is dóigh leis na heolaithe nach bhféadfadh na Bablónaigh siogúrat chomh mór leis sin a uisciú.

GEATA ISTEÁIR

Chuaigh bóthar aolchloiche ó thuaidh ó Theampall Mhardúc. Bhí na ballaí feadh an bhóthair maisithe le brící rilífe ar a raibh fíoracha ainmhithe dathannacha glónraithe.

Chuaigh an bóthar trí Gheata Isteáir. Ba as Isteár, bandia Bablónach an ghrá, a ainmníodh é. Bhí an geata 15 méadar ar airde agus é maisithe le brící gorma glónraithe. Maidir leis na tíleanna ar an ngeata bhí fíoracha de thairbh mhóra (comhartha Adádá, dia na tintrí) orthu, de dhragain (comhartha Mhardúc) agus de leoin fhíochmhara.

CATHAIR ALASTAIR

Bonn agus pictiúr air den teach solais ar oileán Fharas in aice le Cathair Alastair. Fianaise mar sin a chruthaíonn go raibh a leithéid ann ach ní fios go baileach cén chuma a bhí air.

Is é Alastar Mór a bhunaigh Cathair Alastair san Éigipt sa bhliain 332 R.Ch. Níor chaith sé ach scaitheamh beag sa chathair úd mar go raibh sé gafa le cogaíocht sa Mheánoirthear. Ba í Cathair Alastair an lárionad ba mhó litríocht agus eolaíocht sa seansaol faoi na ríthe Gréagacha – na Tolamaesaigh. Tógadh dhá áras mhóra iomráiteacha a mbíodh tarraingt ag turasóirí orthu – an leabharlann, agus an teach solais ba thúisce ar domhan.

AN TEACH SOLAIS

Tógadh an teach solais ar oileán Fharas sa bhliain 280 R.Ch. Foirgneamh 3 stór a bhí ann, é 120 méadar ar airde agus áiríodh é ar cheann de Sheacht nIontais an tSeansaoil. As marmar nó aolchloch a rinneadh é. Cearnógach a bhí a bhonn agus seomraí na foirne ann, ochtagánach a bhí an dara stór, agus cruinn a bhí a bharr agus tine rabhaidh ann.

Bhí bonn cearnógach faoin teach solais agus bhí sé 120 méadar ar a laghad ar airde. As marmar nó as aolchloch a bhí sé déanta. Rinne na Rómhánaigh aithris ar an dearadh a bhí air. Chuir sé go mór le sábháilteacht an chalafoirt.

Mósáic as Ardeaglais Naomh Marcas sa Veinéis. Léirítear Naomh Marcas agus é ag tarraingt ar Chathair Alastair faoi lonrú an tí solais. Tá radharc maith againn ar an teach solais – go fiú an doras tosaigh.

AN SOLAS

Taobh istigh den teach solais bhí fánán agus ardaitheoir ina dtugtaí an breosla go barr an túir. Ó thine rabhaidh a thagadh an solas. Scáthán nó frithchaiteoirí miotail a chruinníodh an solas agus a dhíríodh ar an bhfarraige é. Rinne na Rómhánaigh aithris ar an leagan amach a bhí air agus thóg siad a leithéidí eile ar fud na Meánmhara.

AN LEABHARLANN

Bunaíodh Leabharlann Chathair Alastair i gcaitheamh réimeas an Fharó Tolamaes I (323-283 R.Ch.). Bhailigh Tolamaes I thart ar 200,000 leabhar, scrollaí a bhformhór. Lean a mhac Tolamaes II leis an obair. Chuir sé scoláirí ar fud an domhain, ar thóir leabhar. D'aistrigh scoláirí eile leabhair iasachta go Gréigis. Bhí 500,000 leabhar i Leabharlann Chathair Alastair.

TOLAMAES III

Ba mhó fós an tsuim a bhí ag Tolamaes III (247-222 R.Ch.) i leabhair. B'éigean do chuairteoirí i gCathair Alastair a gcuid lámhscríbhinní a thabhairt don Leabharlann chun go ndéanfaí cóip díobh. Lámhscríbhinn ar bith nach raibh sa Leabharlann thógtaí í agus thugtaí cóip gan mhaith don úinéir. Thug Tolamaes III ar rialtas na hAithne lámhscríbhinní na ndrámaí le Sofaicléas agus le Eoiripidéas a thabhairt dó. Thug sé urraíocht óir dóibh ach ansin dhiúltaigh sé a gcuid lámhscríbhinní a thabhairt ar ais dóibh agus chuir sé cóipeanna gan mhaith chucu.

AN MÚSAEM

Thóg Tolamaes II (283-247 R.Ch.) músaem mór i gCathair Alastair a bhí ina lárionad taighde agus scoláireachta. Is é an cur síos a thug an staraí Gréagach, Strabó, air gur iliomad áras a bhí ann, e.g. léachtlanna agus bialanna agus pasáistí clúdaithe eatarthu. Sagairt a reáchtáladh an músaem agus an leabharlann. Is iad an rialtas a d'íocadh na scoláirí ar a raibh na filí Gréagacha Apallóinias agus Teocrait, agus an matamaiticeoir Eoiclídéas. Faoi dheireadh fágadh an Leabharlann Mhór faoi scoláirí an mhúsaeim amháin. Maidir leis na scoláirí a thagadh ar cuairt chuig an gcathair bhíodh orthu gabháil go leabharlann Theampall Sheireapais – leabharlann den dara grád.

MEATH AR CHATHAIR ALASTAIR

Bhí Cathair Alastair faoi bhláth faoi riail na nGréagach ach níorbh amhlaidh a bhí faoi riail na Rómhánach agus tháinig meath ar an gcathair. Bhí faitíos ar na Críostaithe roimh na tuairimí págánacha sna lámhscríbhinní agus dhóigh siad an Leabharlann in 391 AD. Scrios crith talún an teach solais in 1324 AD. Tá dúnfort Ioslamach Kait Bey ar láthair an tí solais ón 15ú céad.

Calafort nádúrtha foscúil ba ea calafort Chathair Alastair. Bhí cabhsa go dtí an teach solais ar a dtugtaí breosla ar asail chuige le haghaidh na tine rabhaidh ar a bharr. Maidir leis an gcathair féin leagan amach ar nós greille a bhí uirthi. Chomh maith leis an teach solais bhi árais thábhachtacha eile inti, e.g Teampall Sheireapais, Teampall Phoisíodóin, másailéam agus amharclann.

Mar seo a chuirtear síos sa Bhíobla ar ghardaí sciathánacha Áirc an Chonartha '… dhá cheiribín d'adhmad olóige agus iad 10 mbanlámh ar airde … iad cumhdaithe le hór.' Bhí siad cosúil leis an ainmhí atá sa phíosa snoíodóireachta seo as an Aisíria a bhaineann leis an 8ú céad R.Ch.

Rinne an rí Dáibhí aon ríocht amháin de threibheanna na nGiúdach 3000 bliain ó shin. Rinne sé príomhchathair na ríochta de Iarúsailéim. Ba chathair neodrach nach raibh aon treibh Ghiúdach i gceannas uirthi í Iarúsailéim go dtí sin. Tháinig Solamh, mac leis, i gcomharbas air sa bhliain 972 R.Ch. agus bhí seisean ina rí go dtí 922 R.Ch.

SOLAMH INA RÍ

Chuaigh Solamh i gcomhar leis na hÉigiptigh agus leis na Féinícigh. Ó tharla nach raibh contúirt ionraidh ar an tír dá bharr sin, chaith sé a chuid saibhris ar phálás dó féin agus ar theampall agus ar thógálacha eile. Ba áras buan le haghaidh Áirc an Chonartha agus le haghaidh chreideamh na nEabhrach é an Teampall.

Ní fios go baileach cén chuma a bhí ar Áirc an Chonartha. De réir an phíosa snoíodóireachta cloiche (thuas), a rinneadh 1,700 bliain ó shin, ba chófra maisiúil é agus rothaí faoi. Rinneadh léaráidí de Theampall Sholaimh (thíos) de réir sonraí an Bhíobla. De réir Céad Leabhar na Ríthe, 'Chuir sé sraith clár céadair ar na ballaí taobh istigh… agus chumhdaigh sé an t-urlár le cláir chufróige…'

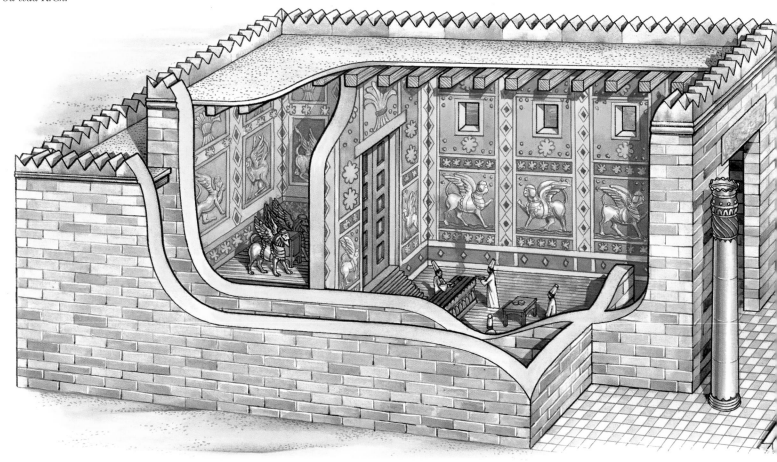

TAGAIRTÍ SA BHÍOBLA

Tá cur síos beacht i gCéad Leabhar na Ríthe ar Theampall Sholaimh. Tá a fhios againn ón gcuntas sin cén chuma a bhí ar an Teampall agus cén mhéid a bhí ann agus an t-ábhar a úsáideadh chuige.

I gclós mór gar do Phálás Sholaimh a bhí an Teampall. Taobh amuigh den teampall bhí altóir mhór le haghaidh íobairtí loiscthe. I ngar don altóir bhí dabhach ollmhór a bhí déanta as cré-umha teilgthe (ar a dtugtaí 'An Mhuir' toisc a mhéid) agus é in airde ar dhroim dhá dhamh déag chré-umha. Ba le haghaidh deasghnáth níocháin é sin.

'Tógadh an Teampall de chlocha a gearradh sa chairéal i dtreo nach raibh fuaim casúir ná tua ná uirlis iarainn le clos sa Teampall fad a bhí sé á thógáil.'

1 Ríthe 6:7

TEAMPALL SHOLAIMH

As aolchloch bhán a bhí an Teampall déanta. Dronuilleogach a bhí sé – é 54 méadar ar fad, 30 méadar ar leithead, agus 15 méadar ar airde. Bhí póirse mór ar an gceann thoir de agus colúin mhóra chré-umha ar gach aon taobh den doras. Bhí líneáil adhmaid ar an sanctóir – céadar ar an tsíleáil agus cufróg ar an urlár. Bhí fíoracha ceiribíní, agus fíoracha crann pailme agus bláthanna ar na ballaí. Thagadh an solas isteach trí fhuinneoga beaga bídeacha cearnógacha go hard sna ballaí. Is é an t-aon troscán amháin a bhí ann ná bord beag agus altóir le túis a dhó.

Tá áirse Thiotais i bhFóram na Róimhe agus í maisithe le píosaí snoíodóireachta a léiríonn cogaíocht an Impire in aghaidh na nEabhrach. Ba iad airm Thiotais a ghabh Iarúsailéim agus a scrios Teampall Sholaimh. Tá na saighdiúirí sa phictiúr thuas ag tabhairt leo meanórá mór óir – coinnleoir seacht gcraobh a d'úsáidtí i gcaitheamh fhéilte na nEabhrach.

AN tIONAD SÁRNAOFA

Sa chuid thiar den Teampall a bhí 'An tIonad Sárnaofa'– an láthair ba naofa i saol na nEabhrach. Bhí doras adhmaid crann ológ agus gan aon fhuinneog ar an seomra sin agus ní ligtí don ardsagart dul isteach ann ach uair sa bhliain. Bhí Áirc an Chonartha istigh ann agus ceiribíní sciathánacha adhmaid á cosaint ar gach aon taobh.

ÁIRC AN CHONARTHA

Is éard a bhí in Áirc an Chonartha cófra adhmaid ina raibh táibléid chloiche na nDeich nAitheanta. Thugadh sinsir na nEabhrach (aoirí fáin as an Measpatáim) thart leo í. Murab ionann is treibheanna eile ní raibh ag na hEabhraigh ach an t-aon Dia amháin – Iáivé. Dhéanaidís adhradh ar Iáivé i scrín phubaill (an Taibearnacal) a mbíodh Áirc an Chonartha inti freisin. Ba áit bhuan as sin amach le haghaidh Áirc an Chonartha é Teampall Sholaimh.

COMHARTHA NIRT

Thagadh na mílte Eabhrach go Iarúsailéim i gcaitheamh na bliana chun freastal ar na féilte móra sa Teampall. Thuig na daoine ó dhoirse adhmaid ollmhóra an Teampaill agus iad faoi bhrat óir go bhféadfadh muinín a bheith acu as neart Sholaimh agus a ríochta. Mhair an Teampall ar feadh 800 bliain gur scrios na Rómhánaigh é sa bhliain 70 AD. Ghabh arm Thiotais Iarúsailéim, scrios siad an Teampall agus thug siad leo an stór saibhris a bhí ann.

PETRA – CATHAIR CHLOICHE

*Pictiúr de Thuama an tSaighdiúra Rómhánaigh thíos. Os comhair an bhealaigh isteach bhí **triclinium** (seomra ina gcaití béile tar éis sochraide). Ar clé tá céimeanna as an gclós go dtí Triclinium an Ghairdín. Léiríonn an pictiúr i mbarr an leathanaigh, ar dheis, éadan an tuama in Ad-Dayer, 'An Mhainistir' agus é gan a bheith críochnaithe. Tá an taobh istigh de cheann de na tuamaí in Petra léirithe thíos. Dearg atá an chloch ach go bhfuil imireacha den dearg, den chorcra agus den bhuí tríthi.*

Tá cathair ársa Petra ó dheas ón Muir Mharbh san Iordáin. Níl aon eolas againn faoin gcathair roimh an mbliain 312 R.Ch. tráth ar chuir na Nabataeigh fúthu inti agus go ndearnadh lárionad trádála di.

Is iomaí ainm eile a bhí ar Petra, e.g. Reicim agus Seala ach 'An Charraig' is ciall leo ar fad. Ní haon iontas gurb é sin an t-ainm a bhí uirthi mar gurb as an gcarraig a snoíodh í. Tá an chuid is mó den chathair ann fós ach níl duine ar bith ina chónaí inti.

AN *SUQ*

Ní féidir Petra a shroicheadh ach trí chainneon cúng (an *suq*) atá idir dhá shliabh arda. Nuair a thagann deireadh leis an gcainneoin baineann an taistealaí amach gleann a bhfuil aillte ar a dhá thaobh. Sna haillte sin is ea a rinne muintir Petra a gcuid teampall agus a gcuid tithe. Bíonn caint air inniu mar gheall ar an scannán *Indiana Jones and the Last Crusade*.

Tuama an tSaighdiúra Rómhánaigh
1. Cosáin agus díon orthu
2. *Triclinium*
3. An bealach isteach
4. An Clós
5. An Tuama

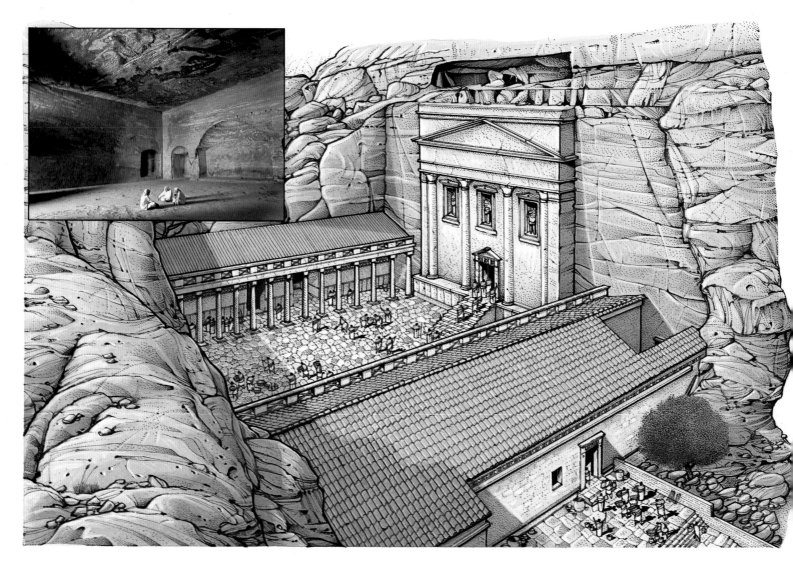

STÍLEANNA AILTIREACHTA

Tá éadan na n-áras in Petra maisithe le colúin agus le dealbha fíoráille agus is léiriú iad sin ar na cultúir éagsúla a d'imir tionchar ar an gcathair. Meascán de stíleanna ailtireachta nach bhfeictear in aon áit eile atá inti – stíleanna na bPeirseach, na nAisiriach, na nGréagach agus na Rómhánach a bhformhór mór. B'fhéidir gur ailtirí eachtracha a dhear cuid de na foirgnimh. Bhí sráideanna leac, teampaill, tithe folctha agus ollgheata ornáideach inti freisin. Bhíodh go leor stallaí inti le haghaidh na dtrádálaithe a bhíodh ar a dturas tríd an gcathair. Chomh maith leis na tithe aille bhí go leor tithe adhmaid agus cloiche sa chathair freisin.

Ciste an Stáit
1 An cholúnáid
2 An Chúirt taobh istigh
3 Seomraí na sagart
4 An sanctóir

CATHAIR THRÁDÁLA

Idir 400 R.Ch. agus 200 AD bhí dhá chonair thrádála ag bualadh le chéile in Petra. Cheannaíodh agus dhíoladh na Nabataeigh cumhráin na hAraibe, síoda na Síne agus spíosraí na hIndia. Leagaidís cáin ar na hearraí a bhíodh ag dul trí Petra agus bhí smacht acu ar an trádáil tríd. D'éirigh an chathair an-saibhir.

MEATH AR PETRA

Sa bhliain 25 R.Ch. fuair Ágastas, Impire na Róimhe, greim ar dhíol agus ar cheannach na spíosraí. Trí chonair thrádála mara a chur ar bun idir an Araib agus Cathair Alastair bhain sé an bonn ó Petra. Mar bharr ar an mí-ádh bhí crith talún in Petra sa bhliain 363 AD. Rinne an saol mór dearmad ar an gcathair go dtí an bhliain 1812, tráth ar athaimsigh taistealaí Eilvéiseach, Johann L. Burkhardt, í.

Tá tosach thuama Chiste an Stáit (an Khasneh) léirithe ar an leathanach seo. Tá an próca i lár thosach an tuama 3 mhéadar ar leithead agus is as a ainmnítear Ciste an Stáit. De réir an tseanchais bhíodh ór istigh ann. Scaoileadh cuairteoirí urchair leis le súil go dtitfeadh an t-ór as – rud atá coiscthe anois de réir dlí! Is éard a léirítear sa phictiúr intlise Sráid na nÉadan Tí in Petra. Cé go bhfuil a chosúlacht orthu gur doirse tithe beaga iad is bealaí isteach i dtuamaí atá iontu dáiríre.

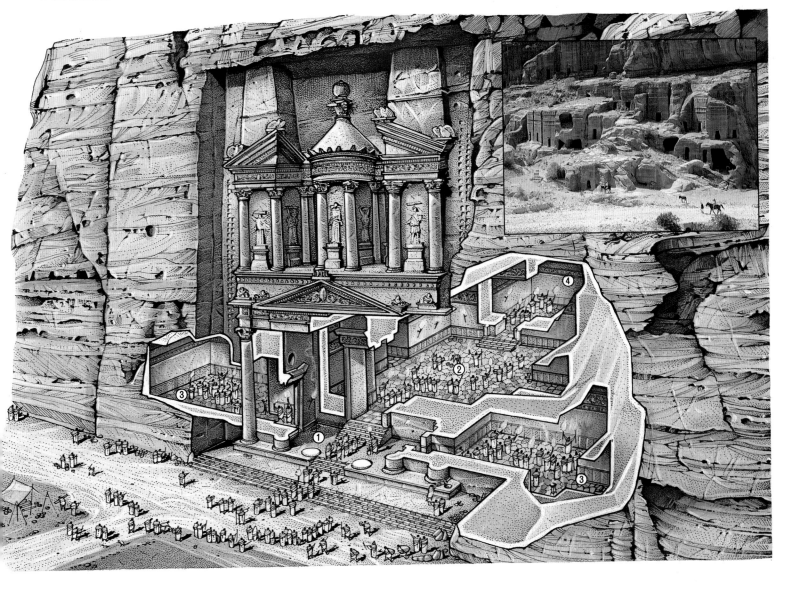

SÉAS IN OILIMPIA

Ba é Séas an príomhdhia i measc dhéithe na Gréige. Chreid na Gréagaigh gurbh é ba chúis leis an toïrneach, an tintreach, an bháisteach agus an ghaoth. Ba í an chaor thine an t-arm a bhíodh aige de réir traidisiúin.

Ba ionad tábhachtach ó thaobh creidimh sa tSean-Ghréig í Oilimpia. De réir an tseanchais is é an laoch Earcail a thóg é. Is in Oilimpia a thosaigh na Cluichí Oilimpeacha. Is ann freisin a bhí an dealbh mhór de Shéas – ceann de Sheacht nIontais an tSeansaoil.

LÁTHAIR NAOFA
Tuairim na bliana 1000 R.Ch. rinneadh láthair naofa de Oilimpia. Is amhlaidh a glacadh leis mar phríomhionad ina dtugtaí ómós do Shéas, rí na ndéithe Gréagacha. Reáchtáladh na chéad Chluichí Oilimpeacha ann sa bhliain 776 R.Ch.

Ba iad an léim agus an reathaíocht na príomhchomórtais sna seanchluichí Oilimpeacha. Is í an léim fhada atá léirithe ar an gcrúsca seo. Maidir leis an léim fhada thugadh an léimneoir léim as a sheasamh agus meáchain á luascadh aige sa dá lámh mar chabhair chun teannadh a chur leis.

Bhí an dealbh de Shéas in Oilimpia 13 méadar ar airde agus an cloigeann beagnach i dteagmháil le síleáil an teampaill. De réir Phásainias, tíreolaí agus údar, bhí staighre bíseach go dtí an t-urlár uachtarach áit a mbíodh radharc níos fearr ar an dealbh.

Rinneadh altóir Shéas tuairim na bliana 1000 R.Ch. san áit ar thit caor thine Shéas de réir an tseanchais. Leath bealaigh tríd an bhFéile Oilimpeach d'iobraítí 100 damh uirthi.

TEAMPALL SHÉAS

Ba é Teampall Shéas in Oilimpia an t-áras ab áille ann. Caitheadh deich mbliana á thógáil. Bhí críoch leis an obair tuairim na bliana 460 R.Ch. 34 colún a bhí mar thaca leis an díon marmair. Ritheadh an t-uisce den díon trí 100 sconna uisce i riocht cloigne leon. Foscadh le haghaidh dhealbh Shéas a bhí sa Teampall seachas ionad adhartha. Bhí cuma músaeim air taobh istigh mar go raibh a oiread sin dealbh ann.

DEALBH SHÉAS

Tuairim na bliana 436 R.Ch. thosaigh dealbhóir as an Aithin, Phidias, ag déanamh dealbh ollmhór de Shéas sa teampall. Bhí an dealbh chomh mór álainn sin go raibh caint uirthi ar fud an tseansaoil. Rinneadh craiceann Shéas as eabhar agus a chuid róbaí as ór. Cuireadh ina shuí ar ríchathaoir álainn é agus ríshlat ar a raibh iolar ina ghlac chlé. Bhí dealbh de Nicé, bandia an bhua, ina ghlac dheas.

'... Tá ríshlat ina ghlac chlé a rinneadh as iliomad miotal ... as ór atá a chuaráin déanta agus a chuid róbaí freisin atá maisithe le fíoracha ainmhithe agus lilí. Tá an ríchathaoir maisithe le hór, le clocha lómhara, le héabann agus le heabhar; Tá an ríchathaoir péinteáilte agus fíoracha snoite uirthi.'

Pásainias

NA CLUICHÍ OILIMPEACHA

Reáchtáiltí na Cluichí Oilimpeacha gach ceathrú bliain le hurraim do Shéas. Bhí na cluichí chomh tábhachtach sin go stoptaí an chogaíocht ar fud na Gréige agus go gcuireadh gach stát iomaitheoirí chucu. Reathaíocht fad na staide (183 méadar) an t-aon imeacht a bhíodh sna chéad chluichí. Coróbas as Éilís, cócaire, an chéad bhuaiteoir a bhfuil a ainm againn. De réir a chéile cuireadh imeachtaí eile leis na cluichí, e.g. iomrascáil agus coimhlint chúig mhír, i.e. reathaíocht, caitheamh léimeanna, caitheamh sleánna, caitheamh teisce agus iomrascáil. Ina dhiaidh sin arís cuireadh an dornálaíocht, rásaíocht carbad agus rásaíocht capall leis na cluichí. Cúig lá iomaíochta a bhíodh sna cluichí faoin mbliain 632 R.Ch.

DEIREADH LEIS NA CLUICHÍ

Le himeacht ama rinneadh dearmad ar chuspóirí simplí na gcluichí tosaigh. Gaiscígh a bhíodh sna buaiteoirí agus chuiridís dealbha díobh féin in airde. Chuir Teodaisias, Impire na Róimhe, deireadh leis na cluichí sa bhliain 394 AD. Scriosadh teampall Shéas sa bhliain 426 AD. Scrios dóiteán dealbh Shéas sa bhliain 462 AD. Ligeadh Oilimpia agus na Cluichí Oilimpeacha i ndearmad.

Bhíodh comórtas amháin sna Cluichí Oilimpeacha ina gcaitheadh na hiomaitheoirí culaith chatha. Ba dhian an comórtas é. Ach nocht a bhíodh na hiomaitheoirí i bhformhór na gcomórtas chun a chinntiú gurbh fhir iad. Cluichí Héire a thugtaí ar chluichí na mban.

Sa staid Oilimpeach a tógadh i gcaitheamh an 4ú céad R.Ch. a bhíodh na rásaí carbad ar siúl. Bhí slí inti do 40,000 duine agus bhídís ina suí ar ardáin fhéarmhara.

CALAFORT NA CARTAIGE

Ba choilíneacht san Afraic Thuaidh ag na Féinícigh í an Chartaig. Dream loingseoireachta ba ea na Féinícigh as Tír Chanán (an Liobáin). Ní raibh sa Chartaig i dtús ama ach cathair thrádála (mar a bhfuil príomhchathair na Túinéise inniu) ach le himeacht ama rinne muirchumhacht mhór di a bhí beagnach chomh láidir leis an Róimh féin. Ar chabhlach mór agus ar an mbunáit loingseoireachta ab fhearr eagar ar domhan a bhí cumhacht na Cartaige bunaithe.

Briocht gloine de chuid na Cartaige. Is ar an nGréigis **Phoinikes** *a chiallaíonn Fir Chorcra atá an t-ainm 'Féinícigh' bunaithe. Is amhlaidh a dhíolaidís dathú corcra a d'fhaighidís as an muireachaoin (seilide mara).*

Calafort na Cartaige ar dheis. Longa lastais a bhíodh sa chalafort cearnógach amuigh agus longa cogaidh sa chalafort cruinn istigh.

NA FÉINÍCIGH

Chuaigh na Féinícigh le loingseoireacht agus le trádáil ó 2950 R.Ch. mar gur bheag talaimh thorthúil a bhí acu. Thugaidís iasc leasaithe, ór, eabhar, gloine, éadach, seodra agus earraí miotail thart ina gcuid rámhlong ar fud na Meánmhara.

AN CHARTAIG

Is iad na Féinícigh a bhunaigh an Chartaig ('An Chathair Nua' is ciall leis an bhfocal i dteanga na bhFéiníceach) tuairim na bliana 814 R.Ch. Agus í in ard a réime bhí 35 ciliméadar de bhallaí thart uirthi. Bhí daingean istigh sa chathair ar chnocán ar a dtugtaí Bursa. 700,000 duine a bhí ina gcónaí sa Chartaig ach is é is dóichí go raibh cónaí ar chuid mhaith acu siúd taobh amuigh de na ballaí. Ach, ar ndóigh, ba é an calafort saorga (an Cotón) an rud ba shuntasaí sa Chartaig.

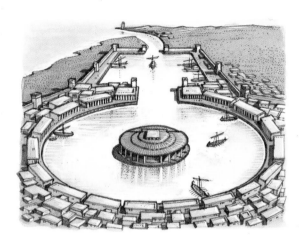

Seo leagan amach amháin ar an gcotón a léiríonn go raibh cé idir an calafort istigh agus an cladach. Mura mbeadh cé ann chaithfeadh na longa cogaidh an fhoireann a chur i dtír sula dtabharfaidís an bád le cé. Ansin chaithfeadh an fhoireann bheag an long a iomramh go dtí an calafort istigh.

AN COTÓN

An tráth sin is i gcuanta nádúrtha a dhéantaí calafoirt agus ní bhíodh iontu ach céanna agus cúpla teach stóir. Ach ba é calafort na Cartaige an calafort saorga ba mhó ar domhan. Is é an chaoi ar chart muintir na Cartaige dhá mhurlach ollmhóra dóibh féin. Bhí calafort dronuilleogach le haghaidh long trádála sa mhurlach amuigh. Le haghaidh long cogaidh (cúigréim: barr lch 28 ar dheis) a bhí an murlach cruinn istigh. Bhíodh 200 iomróir sa chúigréim.

AN LONGCHLÓS

Ba é an murlach cruinn an calafort cabhlaigh ba mhó ar domhan. Bhí oileán cruinn cloch i lár an mhurlaigh ar a raibh longcheárta. D'fhéadtaí na longa cogaidh a fholú ar na fánáin sa longcheárta mar go mbíodh díon os a gcionn.

Ó tharraingítí long aníos as an uisce ní bhíodh sí le feiceáil ón mbaile mór. Mar sin, d'fhéadtaí í a dheisiú gan baol go ndéanfaí spiaireacht uirthi. Bhí áras mór de chuid an chabhlaigh os cionn na bhfánán as a bhféadtaí treoir a thabhairt do na longa sa chuan le stoic, trí bhéicíl nó le tóirsí dá mbeadh sé ina oíche.

ARDRÉIM AGUS MEATH

Sa bhliain 264 R.Ch. thosaigh an Chéad Chogadh Púnach idir an Chartaig agus an Róimh. Faoi dheireadh an Tríú Cogadh Púnach sa bhliain 146 R.Ch. bhí an Chartaig scriosta. Scaip na Rómhánaigh salann ar na garraithe chun nach bhfásfadh dada sa chaoi nach n-éireodh an Chartaig láidir an athuair.

Ach níos déanaí agus í faoi Impireacht na Róimhe d'éirigh sí saibhir agus mhéadaigh ar an daonra. Ghabh Beileasáirias, ginearál Biosántach, an Chartaig sa bhliain 533 AD agus bhí sí ina daingean Biosántach go dtí 698 AD, tráth a scrios na Moslamaigh í.

Thug na Féinícigh adhmad céadair chun na hÉigipte chomh fada siar leis an mbliain 2950 R.Ch. Luaitear sa Bhíobla (Leabhar na Ríthe 1, 5:8) gur thug longa na bhFéiníceach céadar go hIosrael, adhmad a úsáideadh chun Teampall Sholaimh (lch 22) a thógáil.

Ba iad Seacht nIontais an Domhain na seacht n-éacht teicneolaíochta, ailtireachta agus ealaíne sa seansaol de réir na n-údar Gréagach agus Rómhánach.

Ba é an Partanón teampall Aitéiné, bandia na hAithne. Ní raibh sé ar liosta lucht an tseansaoil mar cheann d'Iontais an Domhain. Ach síltear sa lá atá inniu ann gur cheann de na foirgnimh ab áille de chuid an tseansaoil é.

LIOSTA ANTIPATER
Tuairim na bliana 130 R.Ch. a foilsíodh an liosta bunaidh de na Seacht nIontais i ndán le Antipater as Síodón: Pirimidí na hÉigipte (lch 8), Ballaí agus Gairdíní Léibheann na Bablóine (lch 18), Teampall Artaimíse in Eifeasas, Dealbh Shéas in Oilimpia (lch 26), an Másailéam in Halicarnassus, agus Olldealbh Ródas. Rinne Philo na Biosáinte, matamaiticeoir, liosta ina dhiaidh sin ina raibh Teach Solais Chathair Alastair (lch 20) in áit Bhallaí na Bablóine. Rinne údair eile aithris ar an liosta sin ach ba iontas amháin dar leo Ballaí agus Gairdíni Léibheann na Bablóine.

A THUILLEADH IONTAS
Bhí a thuilleadh iontas ann ar ndóigh: Altóir Dhia na Gréine in Pergamum, an Staid in Oilimpia, an Partanón san Aithin, an amharclann in Eipeadáras, agus an fánán 7 km anonn thar chaol talún na Corainte. Is feadh an fhánáin sin a tharraingíodh na Gréagaigh a gcuid long chun turas farraige 700 km a sheachaint.

Bhí Teampall Artaimíse maisithe le fíoracha as seanscéalta na nGréagach. Bhí colúin fhada chaola mar thaca faoin díon a raibh tíleanna air.

Tá tuairim mhaith againn cén chuma a bhí ar an Másailéam in Halicarnassus ó na seanscríbhinní agus ó obair na seandálaithe. Ailtirí Gréagacha a dhear an tuama agus maisíodh é le fíoracha agus le snoíodóireacht Ghréagach.

'Is é Teampall Artaimíse an t-aon teach dá bhfuil ag na déithe. An té a rachaidh ann creidfidh sé go daingean ... gur tugadh an bheatha shíoraí ó neamh chun na talún seo abhus.'

— *Philo*

TEAMPALL ARTAIMÍSE
Ba é Créasas, rí Lidia, a thóg Teampall Artaimíse in Eifeasas (sa Tuirc) tuairim na bliana 550 R.Ch. Bhí dealbh shimplí den bhandia Artaimís sa chuid istigh den Teampall. Dealbh a rinneadh as cloch dhubh a bhí inti agus í maisithe le hór agus le hairgead. Dhóigh gealt darbh ainm Herostratus an Teampall go talamh sa bhliain 356 R.Ch. Atógadh é ach scrios na Gotaigh an athuair é sa bhliain 262 AD. Aimsíodh iarsma an teampaill sa bhliain 1866.

AN MÁSAILÉAM

Is beag iarsma den Mhásailéam in Halicarnassus na Tuirce atá fágtha. An Bhanríon Airtéimisia a thóg é sa bhliain 350 R.Ch. le hurraim dá fear céile Mausolus. Chuir an tuama a oiread sin iontais ar dhaoine gur cumadh an focal 'Mausoleum' ar thuama mór. Teampall ard cearnógach ar bhonn cearnógach ba ea é. Maisíodh le colúin agus le dealbha é. Pirimid 24 chéim a bhí sa díon agus dealbh de charbad agus de chapaill ar a barr (féach barr lch 30 ar dheis). Bhí an Másailéam tuairim 50 méadar ar airde. Scrios crith talún é sa 13ú céad.

OLLDEALBH RÓDAS

Sa bhliain 305 R.Ch. rinne muintir oileán Ródas dealbh ollmhór mar cheiliúradh ar a dteacht slán ón léigear a rinne na Macadónaigh orthu. Bhí an olldealbh chré-umha tuairim 33 méadar ar airde. Léiriú ar Dhia na Gréine (*Helios*) a bhí inti agus bhí coróin ar a chloigeann a raibh cuma ghathanna na gréine uirthi. Ar scaradh gabhail ar an gcalafort i Ródas a léirítear go minic i bpictiúir í. Ach ní bheadh ceardaithe an tseansaoil in ann dealbh mór go leor chuige sin a dhéanamh agus ceapann staraithe anois gur ar ché in aice an chalafoirt a bhí sí. Cé gur neartaíodh í le cloch agus le hiarann chlis uirthi sna glúine agus thit sí le linn creatha talún 66 bliana

'Sé bliana is seasca tar éis a déanta thit an dealbh le linn creatha talún ach is cuid súl i gcónaí í ina luí ar an talamh di. Is beag duine ar féidir leis a dhá lámh a chur thart ar ordóga na deilbhe, agus is mó ná gnáthdhealbh na méara féin . . .'

— *Plinias Óg* —

B'iontach ar fad an feic iad na hamharclanna Gréagacha, e.g. an Amharclann in Eipeadáras. I ndiaidh 350 R.Ch. a tógadh é. Shuíodh 14,000 de lucht féachana ar na léibhinn chrúchruthacha a bhí thart uirthi.

tar éis a déanta. Fuair muintir Ródas foláireamh ó oracal gan í a dheisiú. Rinne na hArabaigh ionradh ar Ródas sa bhliain 672 AD agus rinneadh dramhiarann den Olldealbh agus díoladh í. Ba thubaisteach an deireadh ar cheann de Sheacht nIontais an Domhain é sin.

Is dócha gur folamh a bhí Olldealbh Ródas. D'fhéadfadh sé gur chreatlach adhmaid a bhí inti agus plátaí cré-umha anuas uirthi sin.

Ba é an tImpire Vespasianus a thóg Colosseum na Róimhe le haghaidh gliaireachta. Tharraingítí clúdach canbháis ar a bharr chun na daoine a chosaint ar an ngrian. Bhíodh 1000 mairnéalach ag teastáil chuige sin. Ba le rópaí agus le hulóga a dhéanaidís é.

Tógálaithe den scoth ba ea na Rómhánaigh ach ghlacaidís le tuairimí ciníocha eile freisin. Rinne na hImpirí iontas ailtireachta den Róimh ar fad.

Urbs (an Chathair) a thugadh muintir na Róimhe ar a gcathair féin. Bhí breis is milliún duine ina gcónaí inti. Bhí páláis, staideanna, teampaill agus ionaid siopadóireachta inti freisin. Ar ordú an Impire a dhéantaí na foirgnimh mhóra phoiblí. Is iad na saighdiúirí a dhéanadh na bóithre, na daingin agus na foirgnimh phoiblí in áiteanna eile seachas an Róimh féin le go mbeidís gnóthach agus le feabhas a chur ar chúrsaí cosanta na hImpireachta. Ní thógtaí ach foirgnimh bhuana agus iad déanta as brící, as cloch agus as coincréit ionas go mairfidís.

AN COLOSSEUM

Is é an chaoi a gcoinníodh Impirí na Róimhe an pobal faoi smacht ná arbhar a thabhairt dóibh go míosúil agus neart siamsaíochta, e.g. drámaí, lúthchleasaíocht, cluichí agus an sorcas. Le haghaidh cluichí gliaireachta a tógadh an Colosseum. Caitheadh tuairim 10 mbliana á thógáil agus bhí deireadh déanta in 80 AD. Bhí áit ann le haghaidh 55,000 duine. As cloch agus as coincréit a rinneadh é. Bhí éadan marmair ar shuíocháin na seanadóirí. Mná amháin a cheadaítí san áiléar uachtarach agus as adhmad a rinneadh é. Bhí seomraí agus cásanna le haghaidh ainmhithe fiáine faoin Colosseum féin. Thugtaí na hainmhithe go barr ar ardaitheoirí.

*Ba é an **Circus Maximus** an phríomhstaid sa Róimh le haghaidh rásaí carbad. Ardán cloiche a bhíodh thart ar an staid ach bhíodh ardán adhmaid ann freisin chun go mbeadh a thuilleadh slí inti. Thit an t-ardán adhmaid tráth agus maraíodh 13,000 duine.*

AN *CIRCUS MAXIMUS*

Théadh daoine chuig an *Circus Maximus* (an Sorcas Mór) chun breathnú ar rásaíocht carbad. Ráschúrsa U-chruthach a bhí ann agus balla síos trína lár. Bhí léibhinn suíochán ar thrí thaobh de. Atógadh an *Circus Maximus* cúpla uair. Bhí sé an-mhór i gcaitheamh réimeas Chonstaintín sa 4ú céad AD (690 méadar faoi 190 méadar). Bhí slí ann do 250,000 duine – mar sin bhí sé ar cheann de na staideanna ba mhó riamh.

PÁLÁS AN IMPIRE NÉARÓ

Bhí 'Teach Órga' an Impire Néaró ar cheann de na páláis ba ghalánta sa Róimh. Tógadh é i lár na Róimhe ar thalamh daor. Bhí síleáil an halla chomh hard sin go ndeachaigh dealbh de Néaró a bhí 37 méadar ar airde isteach ann. Bhí painéil eabhair ar shíleáil an tseomra bia agus d'osclaítí iad agus scaoiltí bláthanna cumhra anuas ar na haíonna. D'imrothlaíodh seomra na bhfleánna de lá agus d'oíche – le cumhacht an uisce is é is dóichí.

Bhí muilte arbhair go flúirseach in Impireacht na Róimhe. Bhí ceann i ngach vile, dún agus baile beag, nach mór. Bhí scór ar a laghad sa Róimh féin. In Barbegal i ndeisceart na Fraince (thuas) a bhí an muileann uisce ba mhó. Bhí 16 roth uisce ann agus 8 gcinn de bhrónna. Bhí sé in ann oiread arbhair a mheilt gach lá is a chothódh 12,500 duine.

Bhí uiscerian Pont du Gard na Fraince ar cheann de na huiscerianta ba mhó de chuid Impireacht na Róimhe. Bhí sé trí stór ar airde agus 50 km ar fad. Théadh an t-uisce isteach i dtaiscumar a raibh slí do 20,000 tona uisce ann.

AN PAINTÉON

Ba é teampall na ndéithe uile an Paintéon. An tImpire Hadrianus a chuir á thógáil é sa bhliain 120 AD. Ba as coincréit ar fad a tógadh é. Áras cruinn a bhí ann agus cruinneachán íseal os a chionn a bhí déanta as fáinní forluiteacha coincréite. Bhí an cruinneachán folamh ina lár, rud a rinne an díon éadrom chun nach dtitfeadh sé sa mhullach ar chuairteoirí.

FOLCADÁIN CARACALLA

Bhíodh cúrsaí gnó ar bun ag na Rómhánaigh sna tithe folctha. Críochnaíodh an teach folctha ba mhó agus ba ghalánta sa Róimh i gcaitheamh réimeas an Impire Caracalla sa bhliain 216 AD. Bhí áit ann do 1,500 duine agus gach sórt folctha ar fáil, e.g. seomraí gaile agus fothragadh fuar.

COLÚN THRÁIAN

Tá Colún Thráian 30 méadar ar airde agus é déanta as 20 bloc ollmhóra marmair, ceann os cionn a chéile. Tá breis is 2,500 fíor shnoite air a léiríonn cogaí an Impire Tráian in Dacia. Tá cuma ciúib fholaimh ar a bhun agus tá cúpla seomra ina bhun. Tá staighre bíseach go dtí a bharr.

Colún Thráian (thíos) mar atá inniu. Tá sé clúdaithe le snoíodóireacht (féach barr lch 32 ar dheis). Tá staighre bíseach istigh ann (féach an pictiúr intlise).

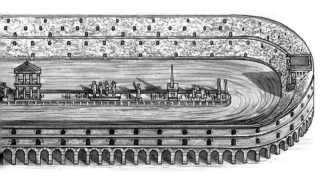

Rinne na heolaithe balún aeir the as ábhair a bheadh ar fáil ag na Nascaigh tráth a ndearna siad na línte sa ghaineamhlach. B'fhéidir gurb amhlaidh a bhítí ar foluain i mbalún os cionn an ghaineamhlaigh agus orduithe á dtabhairt dóibh siúd ar an talamh.

Tuairim 50,000 bliain ó shin a tháinig na chéad daoine go Meiriceá Thuaidh. Is amhlaidh a shiúil siad anonn trasna caol talún a bhíodh idir an dá mhór-roinn an uair sin. Chaith a sliocht na mílte blian ag leathnú ar fud Mheiriceá Thuaidh agus Theas. Is iomaí láthair iomráiteach a thóg siad.

LÍNTE NA NASCACH
Tharraing Treibh na Nascach (200 R.Ch.-600 AD) fíoracha móra ainmhithe agus fíoracha geoiméadracha ar chiumhais ghaineamhlach Atacama. Ní fios d'aon duine cad chuige ná cén chaoi a ndearnadh na fíoracha sin. Níl na fíoracha le sonrú ró-mhaith agus tú ar an talamh. Ón aer amháin atá siad le sonrú go cruinn. Síleann eolaithe áirithe gur mar theachtaireacht chuig na déithe a tarraingíodh iad.

Scríobhadh línte na Nascach ar dhromchla an ghaineamhlaigh agus faoi go raibh an aimsir chomh tirim sin mhair siad go dtí an lá inniu féin. Fíoracha geoiméadracha agus ainmhithe atá iontu, e.g. moncaí, éan agus damhán alla (thuas). Tá siad na céadta méadar ar fad agus is ón aer amháin a bhíonn radharc ceart orthu.

EITILT?
Táthar á rá go raibh balúin aeir the ag na Nascaigh agus go bhféadaidís treoir a thabhairt ón aer do na hoibrithe ar an talamh! Tá roinnt bheag fianaise ann maidir leis an tuairim sin. Más fíor é ba iad muintir Mheiriceá Theas an chéad dream a bhí in ann eitilt!

CULTÚR NA *HOPEWELL*
Dhéanadh go leor treibheanna i Meiriceá Thuaidh tuamaí ollmhóra. Na *Hopewell* (200 R.Ch.-500 AD) a thugtar ar na treibheanna sin as an gcéad tuama a aimsíodh. Bhí mórán de na tuamaí simplí agus ní raibh iontu ach corp amháin. Chuirtí roinnt corp i dtuamaí adhmaid agus dhóití an t-iomlán. Uaireanta chréamtaí in oigheann cré iad agus ansin chuirtí tulán créafóige anuas orthu. Chuirtí earraí pearsanta, e.g. cré-earraí agus seodra, in éineacht leo.

NA TUAMAÍ

Ní hionann cruth ná méid gach tuama. Tá iarsmaí cúpla dosaen tuama i dteannta a chéile in Mound City, Ohio, agus balla dronuilleogach cré thart orthu. Cuma shimplí gheoiméadrach nó cuma dúin nó créfoirt a bhí ar chuid acu sin. Cuid eile acu, cuma pirimide móire a bhí orthu. Síltear go mbíodh teampaill adhmaid ar a mbarr sin. Bhí cuma ainmhithe ar chuid de na tuamaí agus ceaptar go mba lárionaid chreidimh nó féasta iad, e.g. Mullóg na Nathrach Móire in Ohio.

PIRIMIDÍ NA GRÉINE

Thóg treibheanna áirithe, e.g. na Máigigh, na hOilmicigh agus na Tóiltéicigh, cathracha cloiche i Meiriceá Láir. Bhí an chathair ba mhó acu sin in Teotihuacán i Meicsiceo áit ar adhair na daoine déithe cruálacha an Dúlra, e.g. Dia na báistí agus Dia na Gréine. Thóg na daoine teampaill mhóra chloiche ar chuma pirimidí áit a gcuiridís deasghnátha creidimh ar bun.

'Ba gheall le mearbhall na hárais mhóra chloiche seo a fheiceáil ag éirí as an uisce … chuirfeadh sé iontas ort … an chéad amharc ar rudaí nár chualathas, nach bhfacthas agus nár cuimhníodh orthu riamh roimhe sin.'

— *Bernal Diaz* —

TENOCHTITLÁN

Thóg na hAisticigh cathair a bhí ar snámh, in Tenochtitlán. Is amhlaidh a thóg siad árais chloiche le haghaidh deasghnáth ar oileáin ar Loch Texcoco. Bhí teampall mór ann ina n-íobraítí na mílte daoine gach bliain. Is é an chaoi a mbaintí an croí astu mar ómós do Dhia na Gréine. Bhí garraithe agus gairdíní timpeall na cathrach agus iad ar snámh ar raftaí a bhí ceangailte le chéile. D'úsáidtí an camras mar leasú ar na garraithe sin. Bhí píobáin uisce ann freisin le fíoruisce a thabhairt isteach sa chathair. Bhí an chathair chomh hálainn sin gur chuir sí iontas ar na Spáinnigh faoi cheannas Hernan Cortés nuair a fuair siad an chéad amharc uirthi sa bhliain 1519. Duine de na saighdiúirí Spáinneacha úd, Bernal Diaz, a scríobh an sliocht thuas.

*Is é Mullóg na Nathrach Móire (**Great Serpent Mound**) in Adams County, Ohio, SAM, an mhullóg Hopewell is casta dá bhfuil ann. Cuma nathrach móire ag slogadh uibhe atá uirthi. Aghaidh ó thuaidh atá ar an nathair. Tá sí 405 méadar ar fad agus í 2 mhéadar ar airde.*

BÓITHRE AGUS LÉIBHINN

Bhí impireacht mhór ag Incigh Pheiriú. Thóg siad léibhinn mhóra chloiche chun go mbeidís in ann curadóireacht a dhéanamh ar na sléibhte. Rinne siad taiscumair mhóra agus gréasán canálacha chun na tailte tirime a uisciú. Ghearr siad carraigeacha go beacht agus thóg siad cathracha breátha leo.

Rinne na hIncigh gréasán bóithre pábháilte a bhí níos faide ná na bóithre a rinne na Rómhánaigh féin. Chuir siad droichid chrochta anonn thar ailteanna móra. Bhíodh sruthán le hais na mbóithre le haghaidh lucht taistil. Bhí bóthar amháin ó cheann ceann na hImpireachta. Bhí sé 5,200 km ar fad agus thugadh teachtairí scéala nua ó stáisiún scíthe go chéile, ina seanrith, feadh an bhóthair sin.

Bhíodh píopaí áille ag na hIndiaigh a chaithidís le linn deasghnáth. As Oklahoma, SAM, an píopa cloiche gallúnaí ar clé. Is éard atá ann fíor de laoch agus é ag baint an chinn de dhuine. Fíor de bhuaf atá sa phíopa ar clé ar fad. Tá sé cosúil leis na píopaí agus leis na cré-earraí eile a bhíodh ag Indiaigh Hopewell agus mhaisídís na hearraí sin le fíoracha éan, éisc agus ainmhithe eile. Dhéanaidís earraí áille as copar agus as ór freisin, e.g. an fiach ina bhfuil súile péarla (féach barr lch 34 ar dheis).

Coiréal bán a bhíodh i súile na ndealbh agus mic imrisc de charraig dhearg bholcánach. Ba iad na súile an ghné dheiridh a chuirtí leis na dealbha - chun beocht a chur iontu, b'fhéidir.

b'fhéidir. Sa bhliain 1947 rinne Thor Heyerdahl an turas 4,000 km ó Pheiriú chun an oileáin ar rafta balsa chun a chruthú go bhféadfadh sé gur bhain daoine as Meiriceá Theas an t-oileán amach. B'fhéidir gur fíor an teoiric mar go bhfuarthas prátaí Spáinneacha ar an oileán, prátaí a bhíonn le fáil i Meiriceá Thuaidh agus Theas agus nach dócha gur síobadh le sruth chun Oileán na Cásca iad.

Tá 45 tona meáchain i gcuid de na dealbha ar Oileán na Cásca. Is amhlaidh a thugtaí as cairéil a bhíodh roinnt ciliméadar ó láthair iad. Chuirtí rópaí thart orthu agus bhogtaí ó thaobh go taobh iad chun iad a thabhairt ar shiúl as na cairéil. Is dócha go gcuirtí an ceannbheart de charraig dhearg bholcánach ar na dealbha sula mbogtaí iad.

Tá Easter Island fíor-uaigneach diamhair. Ní fios cad chuige ar theastaigh ó dhaoine cónaí ar an oileán uaigneach seo atá i bhfad amach san Aigéan Ciúin (leis an tSile inniu é). Ach is aistí fós scéal na gcloigne ollmhóra cloiche atá ar an oileán.

NA hÁITREABHAIGH THOSAIGH
Tuairim na bliana 400 AD a shroich daoine Oileán na Cásca ar dtús. Polainéisigh ba ea iadsan. Scaitheamh ina dhiaidh sin shroich an dara dream an áit – ó Mheiriceá Theas,

LUCHT NA gCLUAS
Cibé fíor nó bréagach a bhfuil ráite thuas bhí dhá aicme daoine ar an oileán de réir sheanchas na n-áitreabhach féin – na fadchluasaigh agus na gearrchluasaigh.

Ar an iascach agus ar an bhfeirmeoireacht a mhaireadh na chéad áitreabhaigh úd. Bhí siad an-oilte ar an gcloch a shaothrú agus rinne siad léibhinn chloiche ar dheisiúr na Gréine. B'fhéidir gur adhair siad an Ghrian. Thóg siad tithe cloiche freisin – iad cruinn, ubhchruthach agus ar chruth bád.

NA DEALBHA

Tuairim na bliana 1100 AD thosaigh na hoileánaigh ar dhealbha ollmhóra cloiche a dhéanamh. Bhí na dealbha fadcheannach fadchluasach agus a n-aghaidh isteach ar an oileán. Suite ar ardáin dheasghnácha (ahuanna) a bhí siad. Cuireadh ceannbheart dearg orthu agus cuireadh súile ollmhóra de choiréal bán iontu. As carraig bholcánach a snoíodh na dealbha le huirlisí simplí cloiche.

BOGADH NA nDEALBH

As cairéal taobh istigh de bholcán Rano Raraku a fuarthas an charraig leis na dealbha a dhéanamh. Ní raibh a fhios ag na heolaithe ar feadh na mblianta cén chaoi ar bhog na hoileánaigh na dealbha go dtí a n-ionad cuí. D'fhiafraigh Thor Heyerdahl de na hoileánaigh cén chaoi a ndéanfaidís féin é agus thaispeáin siad dó go bhféadfaí iad a bhogadh chun cinn le rópaí ach iad a luascadh ó thaobh go taobh agus iad ingearach.

COGADH CATHARTHA AGUS GORTA

Tuairim an ama chéanna thosaigh na daoine ag baint na gcrann. Níl a fhios againn cén fáth. Leis an talamh a réiteach le haghaidh saothraithe, b'fhéidir nó le hadhmad a chur ar fáil le haghaidh díonta na dtithe nó le luamháin a dhéanamh chun na dealbha móra a bhogadh. Ar aon nós d'uireasa crann leis an ithir a choinneáil scuabadh chun siúil í. Tuairim na bliana 1680 bhí gorta ann agus ansin cogadh cathartha idir na fadchluasaigh agus na gearrchluasaigh. Scoireadh de na dealbha a dhéanamh agus leagadh go leor díobh. Chuaigh na hoileánaigh i bhfolach in uaimheanna agus b'fhéidir, faraor, gur ith siad a chéile. Tháinig meath ar an daonra. Faoin tráth ar tháinig na chéad Eorpaigh sa bhliain 1722 ní raibh ach cúpla duine fágtha.

Líne dealbh ar Oileán na Cásca. Nuair a thug an Captaen Cook cuairt ar an oileán san 18ú céad dúirt na hoileánaigh leis go raibh ainm ar gach uile dhealbh acu. Dhéanadh na daoine ar oileáin an Aigéin Chiúin adhradh ar a sinsir agus is cosúil go ndéantaí an rud céanna ar Oileán na Cásca freisin.

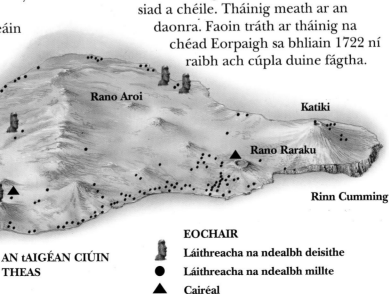

Tuaisceart

Rano Aroi

Katiki

Rano Raraku

Rinn Cumming

Hanga Roa

Rano Kau

AN tAIGÉAN CIÚIN THEAS

An Rinn Theas

EOCHAIR

Láithreacha na ndealbh deisithe

● Láithreacha na ndealbh millte

▲ Cairéal

Tá suíomh na ndealbh agus na gcairéal ar Oileán na Cásca léirithe ar an mapa seo. Tá iarsmaí tuairim 600 dealbh fágtha ar Oileán na Cásca agus iad idir 3-6 mhéadar ar airde. Tá an ceann is mó 11 mhéadar ar airde. Níor críochnaíodh tuairim 150 de na dealbha agus tá siad sin fágtha sna cairéil.

37

Tá laoch agus dia cleiteach na nathracha, Quetzalcoatl, léirithe sa phictiúr seo de chuid na dTóiltéiceach. In onóir do Quetzalcoatl a tógadh an Phirimid Mhór in Chichén Itzá.

Bhí cathair Chichén Itzá ina lárionad creidimh ag na Máigigh agus ag na Tóiltéicigh tráth. Bhí an chathair suite in áit iargúlta i Leithinis na hIúcatáine i Meicsiceo. Míle bliain ó shin bhíodh na Tóiltéicigh ag íobairt daoine trína gcaitheamh isteach sa tobar beannaithe mar ofrálacha chun Seac, Dia na Báistí.

CHICHÉN ITZÁ

Tá Chichén Itzá suite in oirthuaisceart Mheicsiceo. Níl ann ach fothraigh anois. Is iad na Máigigh a bhunaigh an chathair sa bhliain 432 AD. Ar mhachaire áirithe a bunaíodh í mar go raibh dhá thobar mhóra san áit. Is é is ciall le ainm na cathrach ná Béal Thoibreacha na nItzá ó na focail Mháigeacha *chi* = *béal*, *chén* = *toibreacha*, agus *Itzá* = ceann de threibheanna na háite.

Lár chathair Chichén Itzá. Tá Teampall Pirimide Móire Quetzalcoatl léirithe (i lár báire ar clé), agus an túr (i lár baill), agus an chúirt bheannaithe le haghaidh cluichí liathróide (ar clé).

NA MÁIGIGH

Thóg na chéad áitreabhaigh, na Máigigh, go leor áras deasghnách in Chichén Itzá, e.g. páláis, tithe allais agus teampaill ar chuma pirimidí in ómós do dhéithe na nathracha agus na iaguar. Dhéanadh sagairt na Máigeach íobairt ar dhaoine ar mhullach na dteampall pirimidiúil sin. Is amhlaidh a bhainidís an croí as na daoine in ómós don Ghrian.

Thóg siad túr aisteach freisin ar a dtugtaí an 'Seilide' mar go raibh staighre bíseach istigh ann. Bhí an túr sin 122 méadar ar airde. B'fhéidir gur réadlann a bhí ann. Sa chathair féin a chónaíodh na ceannairí míleata agus na sagairt – taobh amuigh a chónaíodh an chosmhuintir.

NA TÓILTÉICIGH

Sa bhliain 950 AD ghabh na Tóiltéicigh an chathair i dteannta na nItzá, b'fhéidir. Ar na hárais iontacha a thóg na daoine sin bhí faiche bheannaithe le haghaidh cluichí liathróide, Teampall na Pirimide Móire in ómós do dhia cleiteach na nathracha (*Quetzalcoatl*) agus Teampall na Laochra. Bhí doras Theampall na Laochra á chosaint ag nathracha móra béaloscailte cleiteacha. Bhí fíor de Sheac, Dia na Báistí (féach barr lch 38 ar dheis), ina leasluí taobh amuigh den teampall agus a bhabhla ofrála ina lámha.

Cluiche deasghnách liathróide. Liathróid rubair a bhíodh ag na himreoirí agus chun 'cúl' a fháil chaithidís í a chur trí lúb chloiche ar an mballa. De réir na snoíodóireachta ar an mballa is cosúil go n-íobraítí an fhoireann a chaillfeadh chun dia na nathracha.

AN CHÚIRT PHEILE

Ba í Cúirt Pheile Chichén Itzá an ceann ba mhó i Meiriceá láir. Bhí sí 128 méadar ar fad agus 60 méadar ar leithead. Bhí balla ard thart uirthi. Is dócha gurbh uaisle amháin agus iad ina seasamh ar ardáin adhmaid a bhreathnaíodh ar na cluichí beannaithe inti.

NA TOIBREACHA

Bhí dhá thobar mhóra in Chichén Itzá. Chun uisce a sholáthar don chathair a bhí ceann acu ann ach bhí aidhm níos aistí leis

Ceann de na toibreacha móra in Chichén Itzá. Tá 40 creatlach daonna aimsithe ag na seandálaithe in íochtar cheann de na toibreacha sin (íobartaigh is dócha).

an gceann eile. I gcaitheamh réimeas na dTóiltéiceach dhéanadh daoine íobairtí chun Dia na Báistí. Is amhlaidh a chaití séad agus ór isteach sa tobar sin ach dhéantaí íobairt ar dhaoine freisin!

DEIREADH LE CHICHÉN ITZÁ

Bhí na Máigigh tar éis Chichen Itzá a thréigean sular tháinig na Tóiltéicigh chor ar bith. Ní fios d'aon duine cá ndeachaigh siadsan. Tuairim na bliana 1224 thréig na Tóiltéicigh féin an chathair. Níl aon fhianaise ann go ndearnadh ionsaí ná dada dá shórt orthu. Is amhlaidh a d'imigh na daoine gan tásc gan tuairisc.

Bhí pasáiste rúnda go dtí seomra folaithe i dTeampall na Pirimide Móire. Fuarthas dealbh ar thomhas nádúrtha de dhia rua na iaguar sa seomra sin. Bhí spotaí a rinneadh as séad líofa ar an iaguar.

HAGIA SOPHIA

Tar éis do na Viseagotaigh an Róimh a ghabháil sa bhliain 410 AD ba í Impireacht na Biosáinte a bhí in uachtar i saol na gCríostaithe as sin amach. Sa bhliain 532 AD d'ordaigh an tImpire, Iúistinian, eaglais mhór a thógáil sa phríomhchathair, Cathair Chonstaintín. *Hagia Sophia* a tugadh uirthi. 'Eagna Naofa' is ciall leis na focail sin sa Ghréigis. Bhain an-tábhacht léi ó thaobh na Críostaíochta de agus ba í an eaglais ba thábhachtaí í de chuid Impireacht na Biosáinte ar feadh míle bliain.

LÁTHAIR NA hEAGLAISE

Bhí eaglais ar an láthair cheana féin ó 360 AD. Ach thosaigh dhá aicme rásaí carbad ag troid eatarthu féin ar an 15 Eanáir 532 AD agus ba ghearr go raibh sé ina chíréib. Faoin am ar chuir Iúistinian cúrsaí faoi smacht bhí an *Hagia Sophia* bunaidh, chomh maith le foirgnimh eile, scriosta.

NA hAILTIRÍ

Chuir Iúistinian fios ar bheirt ailtirí, Aintéimias as Trailléis agus Iseadóras as Miléatas, agus dúirt sé leo eaglais nua a thógáil. Sár-ailtirí a bhí iontu agus bhí siad oilte ar an gcéimseata agus ar an meicnic. Dearadh úrnua a thug siad ar an eaglais. In áit áras fada a dhéanamh a mbeadh taca colún leis is amhlaidh a rinne siad cruinneacháin den díon sa chaoi go raibh neart áite taobh istigh sa séipéal. Bhí an príomhchruinneachán 31 méadar ar leithead agus 65 méadar ar airde!

Is éard atá sa léaráid i mbarr an leathanaigh an tImpire Iúistinian (sa lár), an tArdeaspag Maximilian (ar clé) agus deagánach (ar dheis). Théadh an tImpire, feidhmeannaigh thábhachtacha eaglasta agus na gnáthdhaoine chuig deasghnátha eaglasta sa Hagia Sophia. Ba é an tImpire a bhíodh ar cheann na mórshiúlta agus d'éisteadh sé le seanmóirí ón gcrannóg chruinn.

NA CRUINNEACHÁIN

Bhain na hailtirí leas as ceardaíocht na Róimhe chun cruinneacháin choincréite a dhéanamh. Rinne siad cruinneachán mór éadomhain i lár báire agus chuir leathchruinneacháin lena thaobhanna mar thaca. Bhí taobhranna agus áiléir thart timpeall ar na cruinneacháin sa chaoi gur cuireadh leis an díon agus go raibh neart áite san eaglais. Thagadh solas isteach tríd na fuinneoga arda ar na taobhanna.

AN EAGLAIS DÉANTA

Níor thóg sé ach cúig bliana an eaglais a thógáil. Ba iontach an feic é dar le cuairteoirí. Is éard a dúirt siad faoi 'go raibh an chosúlacht air go raibh sé ar crochadh ar shlabhra óir ó neamh.' Ba bhreá ar fad an foirgneamh é le haghaidh mórshiúlta taibhseacha na hEaglaise Biosántaí.

GABHÁIL NA CATHRACH

Sa bhliain 557 AD scrios crith talún cuid den chruinneachán ach bhí Iseadóras beo fós lena dheisiú. Ghabh na hOtamánaigh Cathair Chonstaintín sa bhliain 1453. Thóg siad túir arda chaola taobh amuigh de *Hagia Sophia* agus d'athraigh siad an maisiú a bhí taobh istigh ionas go ndearna siad mosc álainn Ioslamach de.

*An taobh amuigh de **Hagia Sophia** mar atá sé inniu. Féach na miontúir a chuir na hOtamánaigh leis.*

1 An bealach isteach thiar	6 Leathchruinneachán
2 An chrannóg chruinn	7 An cruinneachán mór
3 An sanctóir	8 Cruinnbhloc mar thaca leis an gcruinneachán mór
4 Áiléir	
5 An taobhroinn	9 Fuinneoga in uachtar

Prionsa ba ea an Búda ar dtús ach thug sé uaidh a chuid maoine tar éis dó eolas a chur ar an mbás, ar an ngorta, ar an tseanaois agus ar na galair a bhain do dhaoine eile. Tháinig sé ar Thuiscint Spioradálta trí mhachnamh a dhéanamh. Chaith sé a shaol ag craobhscaoileadh a chuid tuairimí féin arb iad is bun leis an mBúdachas inniu.

S crín ábhalmhór Bhúdaíoch is ea Boróbudúr agus tá sí suite i lár Iáva. Tá sí ar nós staighre chun na bhflaitheas an chaoi a n-éiríonn sí as an mothar. Cuma pirimide céimní uirthi. Is siombail í ar shaol an Bhúda féin.

AN BÚDA
Ba phrionsa Indiach é an Búda a bhí ann 2,500 bliain ó shin. Is éard a mhúin sé dá lucht leanúna gur iomaí saol a chaithfidís a chur díobh ar an Domhan seo sula mbainfidís amach suaimhneas foirfe agus saoirse spioradálta ar a dtugtar 'Nirbheána.' Is léiriú é Boróbudúr ar an tuairim sin.

AN CNOCÁN NAOFA
Rí de chuid Ríshliocht Shaileandra in Iáva a thóg Boróbudúr tuairim na bliana 800 AD. As cloch bholcánach dhúliath a rinneadh é. Tá cnocán iomlán faoi. Cearnóg 121 méadar cearnach atá i mbonn na scríne agus anuas ar an mbonn tá sraith léibheann mór. Tá ceithre staighre idir gach uile léibheann, ceann ar gach taobh.

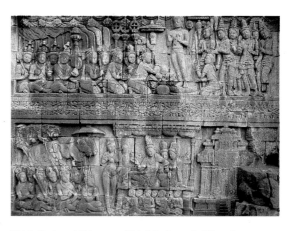

Tá ballaí na léibheann clúdaithe le snoíodóireacht mhaisiúil. Tá ceachtanna creidimh agus eachtraí as saol an Bhúda léirithe iontu, agus ar na léibhinn uachtaracha radhairc a bhaineann le cúrsaí spioradálta.

BUNAITHE AR SHIOMBAIL
Tá an scrín bunaithe ar an *mandala*, i.e. ciorcal laistigh de chearnóg – siombail mhisteach Bhúdaíoch ar an gcruinne. Tá an chearnóg ina comhartha ar an Domhan agus an ciorcal ina chomhartha ar na Flaithis. Is é sin an leagan amach atá ar Bhoróbudúr, rud a bhíonn soiléir ón aer (féach thíos). Tá pasáiste gan díon thart ar gach léibheann agus tá ballaí na bpasáistí sin maisithe le snoíodóireacht ina léirítear an fhorbairt ar an mBúda i dtreo na foirfeachta.

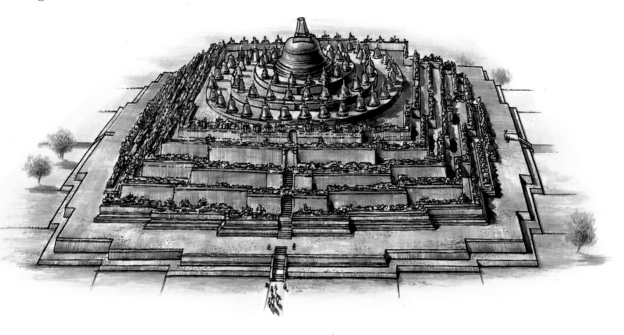

Boróbudúr ón aer. Le 57,000 méadar ciúbach de chloch liath bholcánach a tógadh é. Bhí sé 30 méadar ar airde. Tréigeadh Boróbudúr tuairim na bliana 1000 AD. Tosaíodh ar é a athchóiriú i 1975 nuair a fuarthas amach go raibh an t-uisce á mhilleadh.

OILITHREACHTAÍ

Deiseal a théann oilithrigh ar Bhoróbudúr. Tugann siad cúrsa iomlán an léibhinn sula dtéann siad ar aghaidh go dtí an chéad léibheann eile. Faigheann siad teagasc ar shaol an Bhúda ón maisiúchán ar na ballaí agus foghlaimíonn siad cén chaoi leis an bhfoirfeacht a bhaint amach ina saol féin. Tá sé cosúil le saol amháin a chaitheamh agus ansin bogadh ar aghaidh go dtí an chéad saol eile. Is comhartha é an dreapadh go barr Bhoróbudúir ar an iarracht a chaithfidh Búdaithe a dhéanamh le druidim le Nirbheána.

NIRBHEÁNA

Ciorclach atá na trí léibheann uachtaracha. Níl ballaí ar na pasáistí ach iad fairsing oscailte. Is comhartha iad na léibhinn seo ar an Tuiscint Spioradálta (Nirbheána) atá na Búdaithe ag iarraidh a bhaint amach.

STÚPAÍ

Tá 72 stúpa ar na léibhinn. Go hiondúil cuma cloigíní soladacha a bhíonn ar stúpaí agus bíonn taisí de chuid an Bhúda nó na naomh eile iontu. Ach maidir leis na stúpaí i mBoróbudúr is cruinneacháin chloiche

iad ina bhfuil poill mhuileatacha agus Búda ar a mhachnamh le feiceáil istigh iontu. Ach tá ollstúpa soladach amháin díreach i lár an léibhinn is uachtaraí ar mhullach Bhoróbudúir. Siombail é sin ar Bhuaic na Tuisceana Spioradálta ag an mBúdaí.

Oilithrigh in Boróbudúr. Is amhlaidh a thugann gach uile oilithreach naoi dturas deiseal thart ar an leacht mar gur uimhir bheannaithe ag na Búdaigh a naoi.

Tá an léibheann uachtarach 30 méadar ar airde. Tá dealbha den Bhúda ar an léibheann sin, laistigh de stúpaí atá ar nós cliathrach, fearacht na deilbhe thíos agus fearacht an chinn i mbarr lch 42 ar dheis.

IONTAIS NARA

Ba é Nara príomhchathair na Seapáine idir 710-784 AD agus bhí cineál nua rialtais impiriúil ann. Scaipeadh tuairimí nua as Nara ar fud na Seapáine faoi chúrsaí cultúir, faisin agus creidimh. Tá an chathair chomh hálainn sin go bhfuil seanfhocal ann – 'Ní gá ach breathnú ar Nara agus beidh tú réidh le bás a fháil.'

PRÍOMHCHATHAIR AN IMPIRE
Ba ag na huaisle a bhíodh cuid mhaith den chumhacht sa tSeapáin roimh an mbliain 700 AD. Idir 645-672 AD bhí an Prionsa Naka-no-Oe ina Impire. Chuir comhairleoir leis, a bhí an-eolach ar chúrsaí rialtais na Síne, athruithe i bhfeidhm, i.e. bheadh príomhchathair bhuan ann as sin amach seachas a cheann féin a bheith ag gach uile Impire nua. Socraíodh sa bhliain 710 AD go dtógfaí príomhchathair in Nara.

Dealbh den Bhúda agus é ina shuí atá i Halla Daibutsuden i dTeampall Todai-ji in Nara. Sa bhliain 1708 a rinneadh an dealbh. Is lú í ná an dealbh a bhí ann roimhe sin ar scrios dóiteán í.

As adhmad a bhí na teampaill agus na mainistreacha in Nara déanta fearacht formhór na bhfoirgneamh sa tsean-Seapáin. Ba dheacair dá bharr sin ag crith talún iad a scriosadh ach b'fhurasta ag dóiteán. Sa radharc seo tá manaigh Theampall Todai-ji ag iarraidh dóiteán a mhúchadh. Is amhlaidh a bhuail tintreach é agus chuir trí thine é.

CATHAIR NARA

Tógadh Nara mar chathair fhoirfe a léirigh cumhacht agus ord an Impire. Leagadh amach ina gréasán í ina raibh páláis, oifigí rialtais, stórais, gráinseacha, láithreacha aonaigh, teampaill agus pagódaí (féach barr lch 44 ar dheis). Bhí na foirgnimh go hálainn – maisiú snoite orthu agus na díonta ag gobadh amach os cionn a chéile. Bhí tionchar na Síne le feiceáil orthu, rud a raibh éileamh air sa tSeapáin an tráth sin.

AN *TODAI-JI*

Ba é an Todai-ji an teampall ab áille in Nara. Taobh istigh ann bhí an t-áras adhmaid ba mhó ar domhan – an *Daibutsuden* nó Halla Mór an Bhúda. Dearg a bhí an *Daibutsuden* ar dtús. Bhí dealbh mhór den Bhúda (an *Daibutsu*) istigh ann. Bhí an dealbh chré-umha seo 16 méadar ar airde agus meáchan 550 tona inti. Bhí 1,000 fíor den Bhúda sa naomhluan a bhí thart ar an dealbh.

IONAD LÉINN

Tógadh seacht gcinn de theampaill mhóra Bhúdaíocha agus roinnt ceann beag eile freisin in Nara. Ba árais chreidimh agus léinn iad, e.g. mhúintí córas leighis na Síne iontu, agus astralaíocht agus teicneolaíocht na Síne. Is iontu a chuir na scoláirí litreacha na Sínise in oiriúint don tSeapáinis. Théadh manaigh as Nara ar fud na Seapáine ag craobhscaoileadh na smaointe nua sin.

AN *TOSHODAIJI*

Ba é Chien Chen an manach ab iomráití acu. Thug an tImpire cuireadh dó sa bhliain 742 AD teacht ar cuairt ón tSín chun na Seapáine chun na sagairt a theagasc. Chaith sé aon bhliain déag ag iarraidh éalú as an tSín. Chuir a chuid tuairimí borradh úr faoin tSeapáin. Chuir an Rítheaghlach mainistir (an *Toshodaiji*) á tógáil ina ómós.

AISTRIÚ

Rinneadh príomhchathair de Kiótó sa bhliain 784 AD mar go raibh na manaigh éirithe ró-láidir agus go raibh siad ag cur isteach ar rialtas na tíre. Ach ba ionad mór spioradálta é Nara feasta.

Chaith Chien Chen 11 bhliain ag iarraidh éalú as an tSín. Ar a thuras dó d'fhulaing sé feall, longbhriseadh agus daille. Tógadh Mainistir Toshodaiji chun a chuid tuairimí a theagasc.

Chuir scoláirí Nara litreacha na Sínise in oiriúint don tSeapáinis. Tá idir litreacha na Sínise agus na Seapáinise ar an mapa thíos de chuid an 8ú céad.

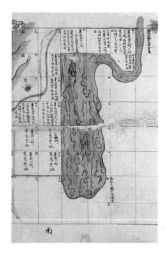

DÁTAÍ TÁBHACHTACHA & GLUAIS

Thugadh turasóirí cuairt ar iontais an tseansaoil díreach mar a dhéantar inniu. Ar ndóigh, le himeacht ama scriosadh go leor acu, le linn creathanna talún nó dóiteán nó d'aon ghnó go fiú. Iarracht ar dhátaí cruinne atá anseo mar nach bhfuil cuntas beacht againn de réir na staire.

R.Ch.

c8000 Tógadh ballaí agus cathair Iarachó.

c5000 Tógadh an chéad siogúrat in Eireadú.

c3300 Stonehenge ina ionad creidimh.

c3000 Tosaíodh ar an leacht meigiliteach a thógáil in Carnac; na háitreabhaigh thosaigh sa Traí.

c2550 Tosaíodh ar an obair ar Phirimid Mhór Giza don Fharó Céaps.

c2100 Tógadh siogúrat in Úr.

c2010 Cuireadh Meantúhóitpé I in Deir el Bahri.

c1700 Tógadh pálás i gCnósas.

1450 Bhrúcht an bolcán ar Thera agus bhí an pálás i gCnósas faoi luaithreach.

c950 Thóg Solamh an Teampall in Iarúsailéim.

814 Bhunaigh na Féinícigh an Chartaig.

776 Na chéad Chluichí Oilimpeacha.

Na trí phirimid in Giza ó chlé go deas: Pirimid Mheancabhra, Pirimid Cheafran agus Pirimid Mhór Chéaps (féach freisin lgh 8-11). Tá an Sfioncs in aice leis na trí thuama a tógadh le haghaidh ban chéile Chéaps. I dtosach an phictiúir tá na hÉigiptigh léirithe agus iad ag uisciú a gcuid talún le huisce ón Níl.

605-562 Nabúcadnazar II i réim sa Bhablóin agus thóg sé Gairdíní Léibheann na Bablóine.

c550 Tógadh Teampall Artaimíse.

436 Thosaigh Phidias ag déanamh deilbhe de Shéas le haghaidh an Teampaill in Oilimpia.

c350 Tógadh másailéam in Halicarnassus.

332 Bhunaigh Alastar Mór Cathair Alastair.

312 Lonnaigh na Nabataeigh in Petra.

305 Rinneadh Olldealbh Ródas.

280 Tógadh teach solais Chathair Alastair.

c200 Rinneadh na chéad tuamaí de chuid treibheanna Hopewell; tharraing na Nascaigh línte diamhra sa ghaineamhlach.

130 Liostaigh Antipater Seacht nIontais an Domhain i ndán den chéad uair riamh.

AD

70 Scrios na Rómhánaigh Teampall Sholaimh.

80 Críochnaíodh an Colosseum sa Róimh.

363 Rinne crith talún dochar in Petra.

c400 Rinneadh fothracha den chathair dheiridh ar láthair na Traí; na chéad áitreabhaigh ar Oileán na Cásca.

426 Scriosadh Teampall Shéas in Oilimpia.

432 Bhunaigh na Máigigh cathair Chichén Itzá.

462 Scrios dóiteán an dealbh de Shéas in Oilimpia.

532 Thóg an tImpire Iúistinian an *Hagia Sophia* i gCathair Chonstaintín.

672 Rinne na hArabaigh ionradh ar Ródas agus díoladh ina dramhiarann an Olldealbh.

c698 Scrios na Muslamaigh an calafort sa Chartaig.

710 Rinneadh príomhchathair na Seapáine de Nara; tógadh Teampall Todai-ji agus Mainistir Toshodaiji.

c800 Tógadh scrín i mBoróbudúr na hÁise.

1224 Thréig na Tóiltéicigh Chichén Itzá.

1324 Scrios crith talún an teach solais i gCathair Alastair.

1453 Ghabh na Turcaigh Cathair Chonstaintín agus rinneadh mosc den *Hagia Sophia*.

1722 Shroich na hEorpaigh Oileán na Cásca agus ní bhfuair siad rompu ach cúpla duine.

GLUAIS

an t-aos eascra: dream Eorpach a mhair sa tréimhse c3000 R.Ch. Ainmníodh iad as na heascraí cré a dhéanaidís.

biotúman: tarra nádúrtha lena ndéantar uiscedhíonadh.

An Chlochaois: tréimhse ina n-úsáidtí uirlisí agus airm chloiche. Thosaigh sé tuairim milliún bliain ó shin.

an Chré-Umhaois: an tréimhse i ndiaidh na Clochaoise nuair a úsáideadh cré-umha den chéad uair. Thosaigh an Chré-Umhaois san Eoraip tuairim na bliana 1800 R.Ch.

folcadáin ghaile: seomraí lán le gal. Osclaíonn an teas poill sa chraiceann; agus glanann an t-allas an salachar chun siúil.

geoiméadrach: ar nós fíoracha matamaitice, e.g. cearnóga nó dronuilleoga.

grianstad: an tráth den bhliain a mbíonn an ghrian ag an bpointe is faide ón meánlíne.

machnamh: smaoineamh domhain.

meigilit: leacht mór cloiche.

miontúr: túr ard a bheadh bainteach le mosc. Glaoitear as ar na Muslamaigh chun guí.

mosc: teampall de chuid na Muslamach.

oilithreach: duine a thugann cuairt ar áiteanna beannaithe.

oracal: duine, sagart nó scrín trína labhraíonn dia.

rilíf: pictiúr a bheith ardaithe amach ón dromchla cothrom ar a mbeadh sé snoite.

sairsín: cineál aolchloiche.

tallann: aonad airgid de chuid an tseansaoil.

tríliotón: leacht a dhéantaí as trí liag mhóra – péire thíos agus ceann thuas.

tuiscint spioradálta: tuiscint ar an bhfírinne.

Sleachta

Is é Heireadótas, an staraí Gréagach, a scríobh an sliocht ar leathanach 10. Is as aistriúchán ar an Íliad le Hómar a tháinig an sliocht ar an Traí. Scríobhadh Pásainias (lch 27) ar chúrsaí taistil sa seansaol. Fealsamh agus scríbhneoir ab ea Philo a chuir síos ar Theampall Artaimíse ar leathanach 30. Rugadh é tuairim na bliana 15 R.Ch. Plinias Óg a scríobh an cur síos ar Olldealbh Ródas. Údar Rómhánach a rugadh sa bhliain 61 AD.

INNÉACS

FOCLÓIRÍN

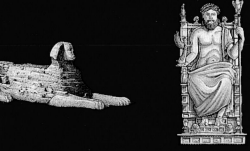